SPANISH - ITALIAN
DEPARTMENT

THE SCRIBNER SPANISH SERIES
FOR COLLEGES

General Editor, JUAN R-CASTELLANO, *Duke University*

DIÁLOGOS
ENTRETENIDOS

DIÁLOGOS ENTRETENIDOS

by SAMUEL A. WOFSY

University of California, Santa Barbara

CHARLES SCRIBNER'S SONS

New York

PREFACE

The selections of *Diálogos entretenidos* were edited with the aim of meeting the needs of students who have completed the work offered in the first semester of college Spanish or its equivalent in high school. The first chapter or two of this text, however, deliberately offer syntactically simpler material than is found in the last few chapters of more elementary graded readers such as the editor's own *Lecturas fáciles y útiles* (Scribner's, 1959), so that the average student out of touch with the language during the more or less protracted interval between semesters is not overwhelmed.

Most of the material of the text is by modern writers whose humor has been popularly enjoyed in Spain and Hispanic America, and, in the case of several, has even won them recognition abroad. The original flavor of these authors has been retained and should, with the aid of the notes provided, be enjoyed by our students. In the matter of notes, the editor has indeed preferred to err *por carta de más* rather than *por carta de menos*, in order to give the average student such assistance in the preparation of his lesson that teachers might be able to utilize most of the classroom time for checking student achievement and for extra drill rather than for filling in gaps in the editorial contribution.

It should be pointed out that the editor has—without violating his aim to give current, idiomatic dialogue—sought to limit the *active* vocabulary of the text to the first 1600 words of the Buchanan list. A careful check also reveals that this vocabulary load includes all but about 100 words of the Keniston list. The repetition of basic words and idioms throughout the text should enable students to make proper progress in their mastery of the language, which must obviously be the first and foremost aim of teachers.

Conscious of the need to check such progress, the editor has consistently maintained in the text the distinction between active and passive vocabulary. Translations at the foot of the page are given of newly introduced words (except easily recognized cognates or derivatives) above the level of the approximately 200 essential words appearing in all elementary grammars plus the next 500 words of the Buchanan list, which presumably should have been assimilated in the first semester. These translations are indicated by a number in the case of words considered active and by a letter of the alphabet next to words not intended for absolute mastery. Teachers themselves will, of course, determine if the achievement of a particular class justifies their requiring the assimilation of the entire vocabulary. The vocabulary of the Exercises has, in general, been limited to the active words, and in Part IV of each group of exercises (beginning with Chapter 2) the editor has attempted to test the student's mastery of a number of these words.

The aim of *Diálogos entretenidos* as a practical instrument for achieving the assimilation of its material is, the editor hopes, substantially furthered by the exercises provided for each selection. In addition to Part IV (*Word Study*), they include: I. *Audio-Lingual Practice*, drilling constructions such as Spanish Reflexive for English Passive Voice, *haber de* and *tener que*, practice in the use of the Subjunctive, etc. (such drill to be co-ordinated with the study or review of the points in the grammar text); II. *Comprehension Exercises* which often test the student's understanding of idiomatic passages; and III. *Questions*, offering the usual aural-oral drill reviewing the more important details of the story of each selection.

The editor's experience has convinced him that many students are pleased with an opportunity to memorize a part in playlets to be performed in the classroom or in programs open to the public. His own students, over a period of years, have produced most of the sketches in the text including, incidentally (as a special favorite), Campoamor's *¡Quién supiera escribir!*, which appears in the Appendix.

I gratefully acknowledge my indebtedness for conscientious criticism and advice to Professor Juan R-Castellano of Duke University, General Editor of the Scribner Spanish Series for Colleges, whose painstaking interest in this venture has turned it into a much improved text. My wife, Frances Wofsy, it should also be attested, has faithfully helped me in the preparation of the text, and her final check of its selections against the Vocabulary and Notes has eliminated a number of errors. I also feel profound gratitude to the late Pablo Parellada, author of many humorous sketches and about fifty plays and playlets for the stage, for his generous permission to use material from his *Entremeses, sainetes y teatralerías* (Francisco Beltrán, Príncipe 16, Madrid) and for the interest he showed in my adaptations. My final obligation is acknowledged to Sr. Carlos-J. Costas, U. S. Representative of the *Sociedad General de Autores de España*, for the courtesy of arranging the authorization to include here the selections *Sábado sin sol* and *El ladrón de besos* (original title of the latter: *Pregón de Sevilla*).

Samuel A. Wofsy

CONTENTS

PREFACE   vii

1. *Los tres hijos del rey*   DON JUAN MANUEL   (*adaptado*)   1

2. *La cesta de huevos*   PABLO PARELLADA   6
            EUSEBIO BLASCO   (*adaptado*)

3. *En el restaurant (I)*   CARLOS FRONTAURA   (*adaptado*)   11

4. *En el restaurant (II)*   CARLOS FRONTAURA   (*adaptado*)   17

5. *Cachimbo y Tirabeque*   PABLO PARELLADA   (*adaptado*)   21

6. *Justicia infalible*   26

7. *El libro talonario*   PEDRO ANTONIO DE ALARCÓN   (*adaptado*)   32

8. *La luna de miel*   PABLO PARELLADA   (*adaptado*)   37

9. *Repaso de examen (I)*   PABLO PARELLADA   (*adaptado*)   44

10. *Repaso de examen (II)*   PABLO PARELLADA   (*adaptado*)   50

11. *El final de un idilio*   AMADO NERVO   (*adaptado*)   55

12. *Sábado sin sol (I)*   60
            SERAFÍN Y JOAQUÍN ÁLVAREZ QUINTERO   (*adaptado*)

13. *Sábado sin sol (II)*   65
            SERAFÍN Y JOAQUÍN ÁLVAREZ QUINTERO   (*adaptado*)

14. *El ladrón de besos (I)*   70
            SERAFÍN Y JOAQUÍN ÁLVAREZ QUINTERO   (*adaptado*)

15. *El ladrón de besos (II)*   76
            SERAFÍN Y JOAQUÍN ÁLVAREZ QUINTERO   (*adaptado*)

16. *Las solteronas* (*I*)   Luis Cocat y Heliodoro Criado   (*adaptado*)   80

17. *Las solteronas* (*II*)   Luis Cocat y Heliodoro Criado   (*adaptado*)   87

18. *La proeza de Benites*   Ricardo Palma   (*adaptado*)   92

Apéndice   99

I. *Poesías* de Campoamor   101
(1) *¡Quién supiera escribir!* (2) *Cosas del tiempo*
(3) *Cosas de la edad* (4) *La voz de la conciencia*

II. *Don Quijote de la Mancha*   Cervantes   107

Ejercicios   111

Vocabulario   169

DIÁLOGOS
ENTRETENIDOS

CAPÍTULO PRIMERO

Los tres hijos del rey

Adapted from Don Juan Manuel (1282–1348). His best-known book, *El conde Lucanor*, from which the present story has been taken, is important for rendering with literary style the oriental tales introduced into Spain by the Arabs.

Reinaba, hace muchos siglos,[1] un rey moro,[a] ya viejo. Era hombre de honor y buena fe, y guiaba[2] a su pueblo por el camino de la virtud. Como tenía tres hijos y no sabía a cuál de ellos escoger[3] como heredero al trono,[b] decidió hacer una prueba.[4] Una noche el rey, antes de

[1] *Reinaba . . . siglos*—Many centuries ago there reigned
[2] *guiar*—to guide
[3] *escoger*—to choose
[4] *prueba*—test

[a] *moro*—Moorish [b] *heredero al trono*—heir to the throne

acostarse,[5] llama al mayor de sus hijos, lo que no solía[6] hacer frecuentemente, y le dice:

— Mañana, muy temprano, hemos de salir juntos[7] a caballo, y te
mando a ti cuidar[8] de despertarme.

Pretendiendo la corona[9] a la muerte de su padre, el príncipe deseaba
complacerle[10] y ganarse su buena voluntad. Pero no llegó a[11] realizar
su deseo, a pesar de todo, porque quedó dormido hasta muy tarde. El
rey, muy disgustado,[12] mandó despertarle. En cuanto[13] el príncipe se
presentó en la alcoba[14] del rey, éste[15] le dijo:

— Quiero bañarme[16] y vestirme. A ver si me pides la ropa al
criado[17] encargado de[18] ella.

El príncipe fué a buscar al criado, pero éste le preguntó si el rey
quería ropa especial o, como de costumbre, prefería la ropa correspondiente al día de la semana. Volvió el príncipe y preguntó al rey qué
ropa quería.

— A ver, ¿qué día de la semana es hoy? — preguntó el rey.

— Hoy es jueves — contestó el hijo mayor.

— Pues quiero el traje del jueves, con una de mis capas[c] especiales.

El príncipe llevó el encargo[18] al criado, y éste le preguntó:

[5]*acostarse*—to go to bed

[6]*soler*—to be accustomed (to); *no solía hacer*—he did not generally do, was not accustomed to do

[7]*hemos . . . juntos*—we are to (will) leave together; *habían de*—were to (would)

[8]*cuidar* (*de*)—to take care (of)

[9]*Pretendiendo la corona*—Aspiring, *i. e.*, since he aspired to the crown

[10]*complacer*—to please

[11]*llegar a*+ inf.—to get to (the point of)

[12]*disgustar*—to annoy, irritate

[13]*en cuanto*—as soon as

[14]*alcoba*—bedroom

[15]*éste*—the latter, he

[16]*bañarme*—to bathe (myself), take a bath; *baño*—bath

[17]*A . . . criado*—Let's see (I wonder) if you will ask for my clothes of the servant. (Note: 1. Use of the present tense for greater vividness; 2. *me*, 'for me', so-called dative of advantage or disadvantage; 3. *a*, 'of', dative of separation.)

[18]*encargar*—to charge, order; *encargado de*—in charge of; *encargo*—order

[c] *capa*—cape

— Pero en cuanto al[19] color, señor, ¿qué capa quiere el rey, la verde, la azul o la amarilla?[20]

Volvió otra vez el príncipe y le hizo[21] la pregunta al rey.

— Quiero la verde bordada[d] con rosas — contestó el rey.

Y así, tras muchas idas y venidas,[22] se juntaron[23] todas las prendas de vestir[24] del rey, y su camarero[e] le vistió. Cuando estuvo vestido, el rey mandó al príncipe avisar[25] al caballerizo[f] que deseaba un caballo.

— ¿Cuál de los caballos? — preguntó el caballerizo.

Se repitieron todas las idas y venidas con respecto al caballo, y naturalmente el rey quedó con muy mala impresión del juicio[26] de su hijo mayor y de su capacidad para gobernar[27] la nación. Pasaron unos diez días, y el rey volvió a hacer[28] la prueba. Antes de acostarse, llamó al segundo de los hijos y le dijo que, al día siguiente, muy temprano, habían de[7] salir juntos a caballo, y que él debía cuidar de despertarle.

Con el hijo segundo ocurrió lo mismo que con el hermano mayor, y el rey, abriendo su pecho a su amigo más íntimo, se quejó[29] mucho de su mala suerte.

— Dios me ha castigado[30] así por mis pecados[31] — le decía al amigo después de referirle[32] lo que había pasado; y éste procuró consolarle de la falta de juicio de los hijos mayores alabando[33]

[19]*en cuanto a*—in regard to, as for
[20]*amarillo*—yellow
[21]*hacer (una pregunta)*—to ask (a question)
[22]*idas y venidas*—comings and goings
[23]*juntar*—to bring together; *juntarse*—to be assembled
[24]*prendas de vestir*—garments
[25]*avisar*—to inform

[26]*juicio*—judgment, wisdom
[27]*gobernar*—to govern; *gobierno*—government
[28]*volvió a hacer*—again made
[29]*quejarse*—to complain
[30]*castigar*—to punish
[31]*pecado*—sin
[32]*referir*—to relate, tell; to refer
[33]*alabar*—to praise

[d] *bordar*—to embroider   [e] *camarero*—valet   [f] *caballerizo*—groom

mucho, pero pintando[34] con vivos colores, la gran inteligencia del hijo menor.

Pasaron otros diez días, y el rey volvió a pensar en[35] la necesidad de nombrar heredero. Antes de acostarse, dió al hijo menor el encargo que había dado a sus hermanos mayores, y el príncipe se despertó tan temprano que, cuando el rey abrió los ojos, éste le encontraba ya a los pies de su cama.

En cuanto el príncipe vió despierto a su padre, se arrodilló ante[36] él y le besó la mano. El rey le mandó pedir la ropa al criado encargado de ella, y el príncipe le preguntó detalladamente[g] qué ropa quería ponerse, desde la camisa[37] hasta los zapatos.[38] Fué a buscar al criado, le pidió la ropa y, volviendo con ella, le dijo al rey:

— Yo he de tenerme por dichoso[39] si me das permiso, querido padre mío, para vestirte. Será un gran placer para mí ayudarte y servirte.

— ¡Magnífico! — contestó el rey, muy satisfecho de su hijo.

El príncipe preparó el baño[16] y él mismo vistió después a su padre. En fin,[40] le sirvió tan bien al rey, y éste encontró tan inteligente la conversación del hijo acerca de los asuntos[41] de gobierno[27] del país, que quedó muy contento como padre y como rey y se tuvo por hombre de dicha,[39] olvidando[42] la amargura[43] que había sufrido con sus hijos

[34]*pintar*—to paint; *fig.* to describe
[35]*pensar en*—to think of (about)
[36]*arrodillarse*—to kneel (down); *ante* = *delante de*—before (in the presence of). Contrast *antes* ('before' in time)
[37]*camisa*—shirt
[38]*zapato*—shoe

[39]*Yo . . . dichoso*—I shall consider myself fortunate (Note the idiom *tener por*); *dicha*—happiness, luck(y)
[40]*en fin*—in short
[41]*asunto*—matter, affair
[42]*olvidar*—to forget
[43]*amargura*—bitterness, sorrow

[g] *detalladamente*—in detail

mayores. El día próximo[44] reunió en el palacio a todos sus nobles y, presentándoles al menor de sus hijos, sin duda el más capaz de los tres, les dijo:

— Aquí les presento a mi heredero. Estoy seguro de que sabrá gobernar bien. Pueden ustedes contar con[45] él.

5

---

[44]*próximo*—near, next   [45]*contar con*—to count on, rely on

CAPÍTULO SEGUNDO

*La cesta*ᵃ *de huevos*¹

The first scene was adapted from Pablo Parellada, popular humorist in the early part of this century; the second scene, from Eusebio Blasco (1844–1903), who won a more solid reputation in various genres.

ᵃ *cesta*—basket   ¹*huevo*—egg

PERSONAJES[2]

DOÑA LUISA	MUJERES PRIMERA Y SEGUNDA
JUAN	JEFE[3] DE LA ESTACIÓN
ROSITA	DOS GUARDIAS[b]

CUADRO[4] PRIMERO

Un telón de boca[c] cubre la parte principal del escenario,[d] que el público ha de ver en el cuadro segundo. El cuadro primero representa un andén[e] de estación de ferrocarril.[5] Las Mujeres Primera y Segunda entran por la derecha.[6] El portero,[f] colocado a la izquierda,[7] recibe sus billetes,[g] los taladra[h] y los devuelve.[8] Doña Luisa, Rosita y Juan, con una maleta,[i] 5 *una caja de madera,[9] una cesta y otro equipaje,[j] se detienen en el centro de la escena y dejan el equipaje en el suelo.*

ROSITA. — ¡Ay, qué calor hace!

LUISA. — Yo vengo empapada de sudor.[k]

JUAN. (*A doña Luisa.*) — Ya le dije a usted que no necesitaba 10 acompañarnos a la estación.

LUISA. — Cumplo con mi deber,[10] lo que es obligación y gusto a la vez[11] para una madre. Además, a última hora[12] podéis necesitar algo.

[2]*personaje*—personage; character (in a play)
[3]*jefe*—chief, boss, head;— *de la estación* station master
[4]*cuadro*—picture, scene
[5]*ferrocarril*—railroad
[6]*por la derecha*—on the right
[7]*a la izquierda*—to (on) the left
[8]*devolver*—to give back
[9]*caja de madera*—wooden box
[10]*cumplir con el deber*—to fulfill, i. e., do one's duty
[11]*a la vez*—at the same time
[12]*a última hora*—at the last moment

[b] *guardia*—guard, policeman [c] *telón de boca*—drop curtain [d] *escenario*—stage [e] *andén*—platform (of station) [f] *portero*—gate-keeper [g] *billete*—ticket, bill (money) [h] *taladrar*—to punch [i] *maleta*—suitcase [j] *equipaje*—baggage [k] *empapada de sudor* —soaked in perspiration

JUAN. (*Enfadado.*)[13] — No sé por qué necesitamos viajar con tanto equipaje. No vamos a ninguna ciudad lejana[14] sino a Toledo, y volvemos a Madrid mañana por la mañana.

ROSITA. — No parece sino[15] que vamos a emprender [16] un viaje
5 alrededor del[17] mundo.

LUISA. (*Enfadada.*) — ¡Adiós! Como todas:[18] te has casado a las dos de la tarde, y a las cuatro ya entiendes[19] más que tu madre.

JUAN. — Tiene razón Rosita. El viaje no va a durar más que una hora, y en Toledo no pasamos más que esta noche.

10 LUISA. — Tú no sabes todavía las cosas que puede desear una mujer aun viajando sólo una hora.

ROSITA. — Pero mamá, ¿para qué necesitamos las mantas[l] en el mes de agosto?

LUISA. (*Sin prestarle*[20] *atención, examina las cosas de la cesta.*) —
15 Pan y queso,[m] vino, magnesia, alfileres,[n] medias . . .[21] Pues juraría que algo falta.[22]

JUAN. — Una esponja[o] para secarnos el sudor.[23]

LUISA. — ¡Ah, Rosita! ¡Ya sé lo que falta! Has dejado en casa el regalo[24] de tu tía Sinforosa. Yo considero que es sin duda de un
20 género[25] tan fino que . . . (*Se oye una campana.*)[26]

[13]*enfadado*—angry
[14]*lejano*—distant
[15]*sino*—but (= but rather); *no parece sino*—one would think
[16]*emprender*—to undertake
[17]*alrededor de*—around
[18]*Como todas*—(You're as bad) as all the rest of the girls; *Adiós* (uttered with irritation, may be translated colloquially)—'Good night!'
[19]*entiendes*—you understand, *i. e.*, you know

[20]*prestar*—to lend; to pay (attention)
[21]*media*—stocking
[22]*juraría . . . falta*—I could swear something is missing
[23]*para . . . sudor*—to dry (for us) the, *i. e.*, to wipe off our perspiration
[24]*regalo*—present
[25]*género*—stuff, sort, kind
[26]*Se . . . campana*—A bell is heard

[l] *manta*—blanket   [m] *queso*—cheese   [n] *alfiler*—pin   [o] *esponja*—sponge

ROSITA. — Bueno, mamá, ha sonado la campana; adiós. (*Doña Luisa la abraza.*)[27]

LUISA. — ¡Hija de mi corazón!

TELÓN [p]

CUADRO SEGUNDO

Departamento[q] de un coche de tercera clase. La Mujer Primera duerme; la Mujer Segunda está despierta y tiene a su lado una cesta de huevos. Aparecen Juan y Rosita, saludan[28] a los presentes, y ésta se sienta en el único asiento[29] desocupado.

JUAN. — ¿Me hace usted el favor de quitar[30] de ahí esa cesta?   5

MUJER 2ª. — No, señor.

ROSITA. — ¡Pero, señora! Las cestas no van en el sitio de las personas.

MUJER 2ª. — Tiene usted razón.

ROSITA. — Pues entonces, no sé por qué no quiere usted quitarla.

MUJER 2ª. — No quiero quitarla porque . . . no la quiero quitar.   10

ROSITA. — ¡Mire usted que llamo[31] al jefe de la estación!

MUJER 2ª. — ¿Y a mí qué me importa eso?[32]

JUAN. (*Al exterior.*) — ¡Señor jefe![33] ¡Haga usted el favor! (*Acude[34] el jefe.*) Esta señora no quiere quitar esa cesta . . .

JEFE. — A ver. Señora, tenga usted la bondad de quitar la cesta,   15
porque no puede ir en el sitio de los viajeros.

MUJER 2ª. — Muy bien, pero yo no la quito.[31]

---

[27]*abrazar*—to embrace
[28]*saludar*—to greet, to salute
[29]*asiento*—seat
[30]*¿Me . . . quitar . . . ?*—Will you please remove . . . ?
[31]*llamo*—(I warn you) I'll call (cf. Ch. 1, fn. 17 [1]); *yo no la quito*—I won't remove it

[32]*¿a . . . eso ?*—what difference does that make to *me*?
[33]*señor(es)*—often used to show deference (need not be translated)
[34]*acudir*—to hasten, come over

[p] *telón*—curtain (of stage)   [q] *departamento*—compartment

JEFE. — ¡Mire usted que llamo a la pareja de la Guardia Civil![35]

MUJER 2ª. — Está bien, llame usted a la pareja. Yo no tengo miedo. (*El Jefe se retira y vuelve luego con dos guardias.*)

GUARDIA. — ¡Quite usted de ahí esa cesta en seguida!

5 MUJER 2ª. — Es inútil[36] gritar, porque no la quito.

GUARDIA. — Va usted a obligarnos a llevarla a la cárcel.[37] ¿Por qué se niega usted a[38] quitar la cesta?

MUJER 2ª. — Porque no es mía.

GUARDIA. — ¿No es suya? ¿Pues de quién es?

10 JEFE. — ¿A quién pertenece?

MUJER 2ª. — Es de ésa que está dormida. (*Uno de los guardias despierta a la Mujer Primera.*)

JEFE. — ¿Nos hace usted el favor de quitar esa cesta?

MUJER 1ª. — ¡Ah! Con mucho gusto. (*La pone en el suelo, y Juan se* 15 *sienta.*)

MUJER 2ª. — Antes de amenazar[39] con llevar a la gente a la cárcel, conviene enterarse[40] de las cosas. Al fin y al cabo,[41] éste es un país libre. A mí no me manda nadie.

TELÓN

[35]Each train carries two members (*pareja*—pair, couple) of the *Guardia Civil*, police used rurally
[36]*inútil*—useless
[37]*cárcel*—jail
[38]*negarse a*—to refuse
[39]*amenazar*—to threaten
[40]*enterar*—to inform
[41]*al fin*—finally; *al cabo*—finally; *al fin y al cabo*—at long last, after all

CAPÍTULO TERCERO

En el restaurant (1)

PERSONAJES

DON JACINTO   DOÑA LAURA   MOZO

Partly adapted from Carlos Frontaura y Vásquez (1835–1910), who has left a number of humorous sketches of customs and manners.

Don Jacinto y su esposa, doña Laura, entran en el restaurant llamado
El Paraíso[a] *y se sientan a una mesa desocupada.*

JACINTO. — Estoy tan cansado y tengo tanta hambre que no he tenido
fuerzas para seguir caminando.[1] Pero me parece[2] que no debimos
5 entrar[3] aquí. Este restaurant es de mucho lujo[b] y nos ha de resultar
carísimo.[4] Nos van a cobrar[5] a lo menos tres veces más que en otros
sitios.

LAURA. — Claro, éste es un sitio muy frecuentado por los extranjeros.[6]

10 JACINTO. — Sujetos extraños[7] que son todos[8] millonarios, como tu
tío don Tadeo que vive en el mayor lujo, pero nosotros . . .

LAURA. — Pues es feo[9] salir después de haber entrado. Además, como
la lista[10] trae los platos[11] en español y en inglés, mientras tú comes yo
he de dedicarme a estudiar el inglés, por cierto una lengua muy difícil.
15 En verdad, no sé cómo puedes pensar en comer; apenas hace una hora
que hemos comido, creo que a las dos y media.

JACINTO. — No, a las dos y cuarto.

LAURA. — Lo mismo da:[12] tienes un estómago muy raro.

---

[1]*caminar*—to walk
[2]*me parece*—it seems to me, *i. e.*, I think
[3]*no debimos entrar*—we shouldn't have come in
[4]*caro*—expensive, dear; *carísimo*—very expensive
[5]*nos van a cobrar*—they are going to collect from us, *i. e.*, charge us
[6]*extranjero*—foreign; *m.* foreigner

[7]*sujetos* (used contemptuously) *extraños* —strange fellows
[8]*que son todos*—who are all (of them), all of whom are
[9]*feo*—ugly
[10]*lista* (*de los platos*)—menu
[11]*plato*—plate, course
[12]*lo mismo da*—it amounts to the same thing

[a] *paraíso*—paradise   [b] *lujo*—luxury

LISTA DEL DÍA

Jueves, 2 de enero

ALMUERZO

Coctel de camarones—Shrimp Cocktail

Sopa de fideos—Spaghetti Soup

Trucha—Trout　　　　*Róbalo al horno*—Baked Haddock

Croquetas—Croquettes　　　*Chuletas de ternera*—Veal Chops

Ensalada de coliflor—Cauliflower Salad

Chícharos (*Guisantes*)—Peas　　*Habichuelas verdes*—String Beans

———

Helado de chocolate—Chocolate Ice Cream　　*Arroz con leche*—Rice Pudding

Té, leche o café—Tea, Milk or Coffee

———

A LA CARTA

Filete—(Tenderloin) Steak

Chuletas de Cordero—Lamb Chops

Chuletas de Cerdo—Pork Chops

Pollo frito (*o a la parrilla*)—Fried (or Broiled) Chicken

Albóndigas—Meatballs

JACINTO. — Eso sí,[13] puesto que[14] siempre tengo hambre. Cualquier cosa que como, despierta en mí más la gana[15] de comer.

LAURA. — Pues, la verdad, comes demasiado sin hacer caso[16] de los consejos[17] del médico.[18] (*Pasa el Mozo.*)

5 JACINTO. — ¿Siguen sirviendo el almuerzo?[19]

MOZO. — Sí, señor. Hasta las cuatro.

LAURA. — Muy tarde para los extranjeros, ¿verdad?

MOZO. — Sí, señora. Muchos vienen al mediodía[20] y piden platos a la carta,[c] o cualquier cosa. Tienen mucho dinero pero no saben comer

10 bien. (*Vase.*)[21]

JACINTO. — Tiene razón el mozo. No se come bien más que[22] en España. (*Doña Laura lee en la lista los nombres de los platos, para su marido en español, y en un inglés muy mal pronunciado para sí:*)[23]

MOZO. (*Volviendo.*) — Bueno, ¿qué van ustedes a tomar, señores?

15 JACINTO. — ¿Tendrán ustedes[24] puchero?[d]

MOZO. — Sí, señor, aunque lo piden muy pocos.

JACINTO. — Nosotros somos muy españoles . . ., y lo primero es el puchero. ¡Jesús![25] No hay nada mejor que un plato de cocido,[d] y lo voy a tomar en vez del coctel de camarones.

---

[13]*eso sí*—that is true

[14]*puesto que*—since

[15]*gana*—desire, craving

[16]*hacer caso de* (or *a*)—to mind, pay attention to

[17]*consejo*—advice, counsel (often used in the pl.)

[18]*médico*—doctor

[19]*¿ Siguen . . . almuerzo?*—Do you continue, *i. e.*, are you still serving lunch?

[20]*mediodía*—midday, noon; south

[21]*Vase* = *Se va.* The student should follow the regular rule for the position of object pronouns.

[22]*No . . . que*—People eat well only

[23]*sí* (prepositional form of *se*)—himself, herself, etc.

[24]*¿ Tendrán ustedes . . . ?*—I wonder if you have . . . (Future of probability)

[25]*¡ Jesús!* (*Dios*, etc.)—Heavens! (Such exclamations are not considered irreverent.)

[c] *a la carta*—à la carte (each dish priced separately and not as part of a full meal)

[d] *puchero* (or *cocido*), national dish of Spain, is a stew of meat and vegetables, especially *garbanzos* ('chick-peas')

LAURA. — Diga usted, ¿y la comida es abundante?

MOZO. — Sí, señora.

LAURA. — Pues traiga usted un cubierto[e] para el señor.

MOZO. — Muy bien. ¿Y qué le sirvo al señor de la lista del día?

JACINTO. — Además del puchero, sopa de fideos, trucha, chuleta de   *5*
ternera, habichuelas, café solo,[26] y arroz con leche.

MOZO. — ¿Y le traigo vino o cerveza?

JACINTO. — No, gracias; ni vino ni cerveza sino un vaso de agua, si
me hace el favor: Órdenes rigurosas del doctor, sabe usted, y hay que
respetarlas por más que le disgusten a uno.[27]   *10*

MOZO. — Muy bien, señor. (*Vase.*)

JACINTO. — ¿Y tú no vas a tomar nada?

LAURA. — Como ha dicho que sirven comida abundante, ha de
sobrar[28] algo para mí. (*Vuelve el mozo con el puchero, la sopa y un vaso
de agua.*)   *15*

JACINTO. — Parece que la sopa no está muy caliente.

MOZO. — Pero, señor, ¿cómo sabe usted que no está caliente, si no
la ha probado[29] todavía?

JACINTO. — Porque, al dejarla en la mesa, tenía usted el dedo dentro.

LAURA. — Tráigame usted una cuchara,[30] mozo, por favor. No voy a   *20*
comer con los dedos.

MOZO. — ¡Como no ha pedido usted más que un cubierto! (*Vase.*)

JACINTO. — En verdad que no se puede comer esta sopa. Sabe a[31]

---

[26]*café solo*—coffee alone, *i. e.*, black coffee

[27]*por . . . uno*—however much they (may) irritate one. Note subjve. in dependent clauses after conjunctions. (Contrast *por más que me disgustan* [indicative]—however much they [do] irritate me)

[28]*sobrar*—be more than enough, be left over

[29]*probar*—to prove, test, try, taste

[30]*cuchara*—spoon

[31]*saber a*—to taste of, taste like

[e] *cubierto*—cover, table service (knife, fork, etc.) for each person

pura agua. (*Pero sigue comiéndola. Vuelve el Mozo, deja una cuchara y un cuchillo,*[32] *y quiere dirigirse a*[33] *otra mesa.*)

　　LAURA. — ¿Qué es eso, mozo?

　　MOZO. — Croquetas para la otra mesa, señora. (*Vase.*)

---

[32]*cuchillo*—knife　　　　　　　　[33]*dirigirse*—direct himself, go

CAPÍTULO CUARTO

En el restaurant (II)

LAURA.—¡Ay,[1] esto es aquello[2] que comimos en casa de mi tío, don Tadeo, la Nochebuena[3] del año pasado! Tengo que hacerlas en casa un día.

JACINTO. — ¿Y tú sabes hacerlas?

LAURA. — Ah, es verdad. Luego preguntaré al mozo. (*Vuelve el* 5 *Mozo y sirve el pescado.*)[a] Diga usted, mozo, ¿cómo se hacen las croquetas?

MOZO. — Señora, yo no guiso.[b] Para eso tenemos al cocinero.[c]

LAURA. (*Aparte*[4] *a don Jacinto.*) — ¡Qué mozo tan bruto![5] (*Al Mozo.*) Y el pescado que acaba de traer es trucha, ¿verdad? 10

MOZO. — Es trucha, sí, señora.

LAURA. — Entonces, deme usted un papel blanco. Lo quiero limpio, porque voy a guardar la cabeza para Leal.[d] Le hemos puesto este nombre, sabe usted, porque es muy fiel.[6] Muerde[e] a todo el mundo, pero a nosotros nos quiere[7] mucho. Siempre que volvemos a casa nos 15 lame[f] para manifestarnos su simpatía.[g]

---

[1] *ay*—alas, oh
[2] *aquello* (neuter)—that (thing, idea, etc.)
[3] *Nochebuena*—Christmas Eve
[4] *aparte*—aside

[5] *¡Qué . . . bruto!*—What a (most) stupid lad (waiter)! (Note the use in such exclamations of *tan* [or *más*].)
[6] *fiel*—faithful
[7] *querer* (+pers. obj.)—to like, love

[a] *pescado*—fish [b] *guisar*—to cook [c] *cocinero*—cook [d] The word *leal* means 'loyal' [e] *morder* —to bite [f] *lamer*—to lick [g] *simpatía*—fondness

MOZO. — Así debe ser. ¡No faltaba más![8] (*Vase.*)

LAURA. — Ya sabes tú que a Leal le gusta mucho la trucha. Y a mí también; conque[9] pásame[10] el plato. La poca sopa que me has dejado era pura agua, y me siento débil.[11]

5 JACINTO. — ¡Pero si[12] has almorzado a las dos y cuarto!

LAURA. — Como tú, pero no tanto. (*Vuelve el Mozo, entrega*[13] *el papel y deja la chuleta y lo demás*[14] *que le había encargado don Jacinto.*) ¡Ay, chuleta! A ver si me trae otro papel, que[15] voy a guardarle a Leal el hueso.[16] (*Vase el Mozo.*) ¡Jesús, y qué fea es la señora de la mesa inmediata![17]

10

JACINTO. — Pues es elegante, y no es tan fea.

LAURA. — A ti te parecen diosas todas las mujeres, menos[18] la tuya, y nunca te cansas de admirar a las otras. Así de espaldas[19] ella parece alguna cosa, pero cuando se le ve la cara . . .[20] ¡Qué cara más[5] antipática![h] ¡Y lleva la falda corta cuando eso ya está pasado de moda! . . .

15 ¡Jesús, me he echado en el vestido[21] la cabeza de la trucha! ¡Virgen santa, un vestido echado a perder![22] ¡Un vestido de última moda, con el cuello[23] alto y las mangas[i] largas! (*Se lo limpia*[21] *con el pañuelo.*)[j]

---

[8]*No . . . más*—More was not lacking, i. e., it would be the last straw (if your dog did not lick you), that's the only proper thing!

[9]*conque*—so then, and so

[10]*pasa*—familiar command (sg.) with *tú*, expressed or understood, as subject; the polite sg. command is *pase usted*

[11]*sentirse débil*—to feel weak

[12]*si* or *pero si*—but, why (used in protestations)

[13]*entregar*—to deliver, give

[14]*lo demás*—the rest

[15]*que*—for

[16]*hueso*—bone

[17]*inmediato*—next

[18]*menos*—less, except

[19]*Así de espaldas*—Like that, from behind; *espalda(s)*—back

[20]*se le ve la cara*—one sees to her the face, i. e., you see her face

[21]*me . . . vestido*—I have thrown to me on the, i. e., I dropped on my dress; *se lo limpia*—she cleans it (for herself)

[22]*echar a perder*—to ruin

[23]*cuello*—collar; neck

[h] *antipático*—disagreeable, unpleasant   [i] *manga*—sleeve   [j] *pañuelo*—handkerchief

¡Tú tienes la culpa![24] Vamos,[25] ya tiene una mancha[k] este vestido. Si esto es para desesperarse.[26] ¿Y tú no dices nada?

JACINTO. — ¿Y qué quieres que diga,[27] mujer? Bastante siento que se te haya[27] manchado el vestido,[28] pero ya está manchado . . .

LAURA. — A ti no te molesta nada. Te quedaste tan fresco[29] cuando me pisó el pie aquel animal[30] al salir de casa.

JACINTO. — Claro, como que el pobre[31] lo hizo sin intención.

LAURA. — Pues yo no soy tan blanda[32] como tú; bien claro[33] le llamé animal.

JACINTO. — Vosotras con la impunidad de las faldas[34] soléis ser muy valientes con algún infeliz. A ver si le llamas animal a don Tadeo.

LAURA. — ¿Y por qué he de llamarle animal a mi tío?

JACINTO. — Porque, juzgando sus actos sin pasión, es un bruto. Con toda su riqueza[35] e influencia no ha hecho nada por mí. Y además de su riqueza, el primo de su mujer es director del periódico[36] oficial del gobierno . . .

LAURA. — Pues ahora mismo voy a verla y he de poner el grito en el cielo para que me dé[37] una carta para su primo, y éste tendrá que

[24]*culpa*—blame, guilt; *¡Tú . . . culpa!*— You are to blame!

[25]*vamos* (or *vaya*)—well, why, come now, well now

[26]*Si . . . desesperarse*—Why this is enough to drive one to despair

[27]*diga, haya*—subjve. (pres.) of *decir, haber*, used in a dependent clause after a wish (carried out by someone other than the subject) or an expression of emotion. Note these two uses as they will not be annotated again.

[28]*siento . . . vestido*—I am sorry your dress has been stained

[29]*fresco*—fresh, cool

[30]*me . . . animal*—that stupid man stepped on my foot

[31]*el pobre*—the poor fellow

[32]*blando*—soft, bland, gentle

[33]*bien claro*—quite distinctly (clearly)

[34]*con . . . faldas*—with the impunity of the skirts, *i. e.*, because you are women

[35]*riqueza*—wealth

[36]*periódico*—newspaper

[37]*para . . . dé* (pres. subjve. of *dar*)—so that she will give me, for her to give me (Note subjve. after a conj. under certain conditions.)

[k] *mancha*—stain, spot

darme una carta para el primer ministro . . .[1] (*Vuelve el Mozo con el papel, y se lo da a doña Laura.*)

JACINTO. — La nota,[m] por favor.

MOZO. — Muy bien, señor. (*Se la entrega.*) Son ocho duros,[38] señor.

5 LAURA. — ¿No es nada menos? Será[39] porque el pan estaba duro.[38]

JACINTO. — Tome usted.[40] (*Le paga.*)

MOZO. (*Aparte.*) — Ni cinco céntimos de propina.[41] (*Vase, muy disgustado.*)

LAURA. — Ahora mismo voy a casa de mi tío, a ver si mi tía me da
10 la carta. Porque, vamos, es un escándalo[n] que tú, a los cuarenta y seis años,[42] no estés colocado bien[43] en alguna oficina del gobierno. No es justo que tú, después de haber sido soldado,[44] y teniendo yo un tío como don Tadeo, estés[43] sin colocación. Te digo que he de poner el grito en el cielo. Ahora tú tomas eso para Leal, se lo das en su plato
15 que está debajo de la mesa de la cocina, y luego me esperas[45] en la plaza que está cerca de la casa de don Tadeo.

[38]*duro*—hard; dollar; *son ocho duros*— it's eight dollars

[39]*será*—it must be (future expressing probability in the present)

[40]*Tome Vd.*—Take, *i. e.*, here

[41]*Ni . . . propina*—Not even a five-cent tip (*centavo*, not *céntimo*, is used in S. A.)

[42]*a . . . años*—at the age of forty-six

[43]*no . . . bien*—are not placed well, *i. e.*, do not hold a good position (Note *estés*—pres. subjve. of *estar*)

[44]*soldado*—soldier

[45]*tomas, das, esperas*—(cf. Ch. 2, fn. 31, for the use of the present instead of the future, equivalent to a command here)

[1] *primer ministro*—prime minister   [m] *nota*—note, check (bill)   [n] *es un escándalo*— it's shocking

CAPÍTULO QUINTO

Cachimbo y Tirabeque

Adapted from Pablo Parellada. The two proper names of the title were chosen with humorous intent: *cachimbo* (S. A.)—smoking pipe; *tirabeque* (*in agriculture*)—tender pea. Note later *Serapia*—S. A. tree.

A propósito del[1] sistema burocrático, un viajero de avanzada[a] edad, que iba frente a[2] mí en el tren,[b] me contó la historia de cierta academia

[1] *propósito*—intention, purpose; *a propósito*—by the way; *a propósito de* —in connection with

[2] *frente a*—facing

[a] *avanzado*—advanced [b] *tren*—train

militar de un país lejano. En esa academia, en un principio,[3] los
muchachos eran internos.[c] Pero se dispuso[4] una orden que decía:
"Teniendo en consideración los inconvenientes[5] del internado[c] así
como[6] las ventajas[7] de estar los alumnos externos . . ."[c] Y, de acuerdo

5   con[8] la nueva orden, fundada[9] sobre las nuevas ideas de algún nuevo
ministro, los alumnos fueron a meterse en[10] casas de huéspedes.[11]

Pasaron unos años y fué a cursar[12] a la academia el hijo de un
alto personaje, un chico bajo y flaco[13] al que sus compañeros dieron
en[14] llamar Tirabeque.

10   El padre de este chico estaba lleno de inquietud[15] pensando en que
su hijo, que jamás se había separado de las faldas de su mamá, iba a
vivir fuera de la vigilancia paterna y expuesto[16] al peligro[17] de
relaciones con compañeros malos, corrió a ver al Ministro de la Guerra,
con quien mantenía estrecha amistad:

15   — Ya ve usted,[18] mi pobre chico, una criatura,[19] un niño tierno[20]
y desconocedor[d] del mundo, fuera de la presencia de maestros y sin
la vigilancia de nadie, solo, en una casa de huéspedes. Comprenda

---

[3]*en un principio*—at first
[4]*disponer*—to arrange, dispose; *se dispuso*—(an order) was issued
[5]*inconveniente*—unsuitable; *m.* objection, unsuitable condition
[6]*así como*—as well as
[7]*ventaja*—advantage
[8]*de acuerdo con*—in accord with, according to
[9]*fundar*—to found
[10]*meterse en*—to get into
[11]*huésped*—guest; *casa de -es*—boarding-house

[12]*curso*—course; *cursar*—to study
[13]*bajo*—low, short; *flaco*—thin, feeble
[14]*dar en*—to fall into, persist in
[15]*inquietud*—anxiety
[16]*expuesto* (pp. of *exponer*)—to expose, expound
[17]*peligro*—danger
[18]*Ya ve Vd.*—You see how it is, there you are (stock idiom)
[19]*criatura*—baby
[20]*tierno*—tender, gentle

[c] *interno* (with *ser*)—resident pupil (pupil living at a boarding school); *estar interno*—to be living at boarding school; *externo*—pupil living outside; *internado*—boarding-school system   [d] *desconocedor*—ignorant

usted que esto es muy doloroso[21] para sus padres. Mi mujer está con
un disgusto terrible . . . ¿No habría manera de[22] permitir a mi hijo
estar interno? Le ruego que me haga usted este favor.

— Sería una excepción, y eso no puede ser. Todos los alumnos
están externos.   5

— Pues es muy sencillo.[23] Para evitar[24] excepciones, podría dis-
ponerse una orden para el internado de todos.

— Eso no sería fácil. Considere usted que eso exigiría[25] grandes
obras de reforma[26] en el edificio de la academia, que costarían miles de
duros. Habría que añadirle, lo menos, dos pisos.   10

— ¿Y qué? Supongo[27] que ni del bolsillo[28] de usted ni del mío han
de salir.

— En realidad[29] hay otro inconveniente insuperable . . .

Las diversas razones[30] del ministro eran buenas, y se mantuvo firme
sin ceder, pero el papá de Tirabeque conocía otros personajes de alta   15
autoridad e importancia y, por fin,[31] consiguió una orden con este
preámbulo:

"Teniendo en consideración las ventajas del internado, así como los
inconvenientes de estar los alumnos externos . . ."

Y Tirabeque no tuvo que ir a una casa de huéspedes.   20

Gran consternación produjo la nueva disposición entre las amas[32]
de casas de huéspedes, pero sus protestas resultaron inútiles. Es decir,[33]
exceptuando sólo las de[34] doña Serapia.

---

[21]*dolor*—pain, sorrow; *-oso*—painful
[22]*¿No . . . de?*—Wouldn't there be a
  way to . . . ?
[23]*sencillo*—simple
[24]*evitar*—to avoid
[25]*exigir*—to exact, demand, require
[26]*obra*—work, deed; *-s de reforma*—
  alterations
[27]*supongo* (from *suponer*)—I suppose

[28]*bolsillo*—pocket
[29]*en realidad*—really, actually
[30]*razones*—arguments
[31]*por fin*—finally (Contrast with *en fin*—
  in short.)
[32]*amo (ama), dueño (dueña)*—master
  (mistress), owner
[33]*es decir*—that is to say
[34]*las de* (= *las protestas de*)—those of

Era doña Serapia una viuda[35] cuyo cariño[36] estaba concentrado en un loro[e] llamado Cachimbo, heredado[f] de su madre y de su abuela, que también fueron dueñas[32] de casas de huéspedes para cadetes. Y como el animalito estaba acostumbrado a las constantes caricias[37] y
5 alegrías de la gente joven vestida de uniforme, cerró el pico[g] y se puso[38] triste, a causa de[39] encontrarse falto de[40] alegre ambiente.[41] Ninguna fuerza humana lograba[42] volver a hacerle decir: "Se tiñe el pelo,[43] se tiñe el pelo," cuando veía pasar a una señorita.

Algunos cadetes de los que fueron sus huéspedes habían ido subien-
10 do[44] la escalera de la buena suerte, y ocupaban ya altos puestos.[45] Doña Serapia se fué a visitar a uno de aquellos elevados personajes que más cariño demostró al loro en otro tiempo, y, entre lágrimas y suspiros,[46] le hizo saber[47] que el animalito se encontraba al borde[h] del sepulcro a consecuencia del[39] internado y no ver a su lado aquellos
15 uniformes juveniles que eran su alegría.

— Vamos, no llore usted, doña Serapia. ¡Sí que lo siento![48] — decía el importante personaje. — Con esta tarjeta[i] mía, en la que recomendaré el asunto con el mayor interés, vaya usted a ver al excelentísimo general don Yago Yangua,* íntimo amigo mío, y todo se arreglará.[49]

[35]*viudo (viuda)*—widower (widow)
[36]*cariño*—affection, love
[37]*caricia*—caress, tender pat
[38]*ponerse* (+ adj.)—to become
[39]*a causa de, a consecuencia* (as a result) *de*—because of
[40]*falto de*—lacking in, (being) without
[41]*ambiente*—environment, atmosphere
[42]*lograr*—to obtain, achieve, succeed in, manage

[43]*teñirse el pelo*—to dye one's hair
[44]*ir subiendo*—to be gradually (go on) rising on, be gradually promoted on
[45]*puesto*—position
[46]*lágrima*—tear; *suspiro*—sigh
[47]*hacer saber*—to make known, inform
[48]*¡Sí . . . siento!*—I am indeed sorry. (Note *sí* [*que*] to add emphasis.)
[49]*arreglar*—to arrange, fix; *todo se -á*—everything will come out all right

[e] *loro*—parrot   [f] *heredar*—to inherit   [g] *pico*—beak   [h] *borde*—edge   [i] *tarjeta*—card

* Yangua—The author undoubtedly coined this name thinking, as all cultured Spaniards would, of *Yanguas* from which land came the *yangüeses* attacked by Don Quijote. See the Vocabulary under *Quijote*.

— ¡Ah, don Yago! Le recuerdo. También le tuve de⁵⁰ huésped. Precisamente él fué quien, a fuerza de⁵¹ paciencia, enseñó a Cachimbo a decir: "Se tiñe el pelo". Se querían⁵² como dos hermanos, y se parecían como dos gotas⁵³ de agua.

Doña Serapia corrió a ver al general Yangua, repitió su historia, y ⁵ consiguió una nueva disposición que declaraba que, al terminar el curso los alumnos recientes (es decir, Tirabeque y los demás que empezaron sus estudios el mismo año), todos habían de quedar externos otra vez. La nueva disposición empezaba:

"Teniendo en consideración los inconvenientes del internado, así ₁₀ como las ventajas de estar externos los alumnos . . ."

Y cuando la casa de doña Serapia volvió a llenarse de jóvenes cadetes, la alegría y las risas reanimaronʲ a Cachimbo y volvió a decir: "Se tiñe el pelo", y aun aprendió nuevas frases y expresiones graciosas.⁵⁴

---

⁵⁰*de*—in the capacity of, as
⁵¹*a fuerza de*—by dint of, because
⁵²*Se querían*—They loved each other (*amar* is more commonly used in poetry, while Spaniards normally use *querer* in conversation)

⁵³*parecerse*—to resemble each other; *gota*—drop
⁵⁴*gracioso*—funny, witty; attractive

ʲ *reanimar*—to revive

CAPÍTULO SEXTO

Justicia infalible

This playlet evolved after the editor saw the possibilities (for better or worse) in the trial episode occurring in *Paradox, rey* by Pío Baroja (1872–1956). Students, entering into the farcical spirit of the playlet, have always been able to add comic touches of their own upon preparing it for presentation.

PERSONAJES

EL REY ALÍ BARBA[1]   YERNO[a] PRIMERO

PRIMER MINISTRO   YERNO SEGUNDO

SUEGRA[b]   LOLA BRÍGIDA, *artista de cine*[2]

Sale el Rey despacio[3] seguido de cuatro Muchachas que sostienen[4] la colac de su toga, y quienes repiten, hasta que se sienta el Rey: ¡Viva,[5] viva el Rey Alí Barba, rey poderoso, rey muy discreto! *Al sentarse el Rey, dos de ellas se colocan a su derecha y las otras dos a su izquierda. Sale el Primer Ministro.*   *5*

MINISTRO. (*Poniéndose de rodillas.*)[6]—¡Mi enhorabuena,[7] gran rey!

REY.—¿Qué hay,[8] hombre?

MINISTRO. (*Se levanta y besa la mano al Rey; éste frota[d] el lugar besado contra la toga.*)—Sus ejércitos[9] lograron vencer[10] al enemigo en todos los campos de batalla;[11] y las ideas morales e intelectuales de   *10* Su Majestad y sus leyes sociales le han ganado la admiración del mundo entero. Nuestra nación entera adora a Su Majestad. Ahora mismo la multitud está a las puertas del palacio. (*El Rey, ajeno a lo que[12] dice el Ministro, se divierte[13] dando a las Muchachas palmaditas[e] en las mejillas.*)[14] Pues ¿qué respuesta[15] he de dar, Majestad? (*El Rey no le*   *15* *hace caso, y el Ministro exclama más fuerte.*) ¡Majestad, oh, Majestad!

REY. — ¿Eh? (*Sigue hablando con las Muchachas.*)

[1]*barba* (as common noun)—beard

[2]*artista de cine*—movie actress

[3]*despacio*—slowly

[4]*sostener*—to sustain, support

[5]*viva*—long live

[6]*ponerse de rodillas*—to kneel

[7]*enhorabuena*—congratulations

[8]*¿Qué hay?*—What's the matter? What's up?

[9]*ejército*—army

[10]*lograron vencer*—succeeded in conquering

[11]*campo de batalla*—battle field

[12]*ajeno a lo que*—alien, *i. e.*, unaware of what

[13]*divertirse*—to have a good time

[14]*mejilla*—cheek

[15]*respuesta*—answer

[a] *yerno*—son-in-law   [b] *suegra*—mother-in-law   [c] *cola*—train   [d] *frotar*—to rub   [e] *palmadita*—pat

MINISTRO. — El pueblo está reunido a las puertas del palacio y quiere ver a su rey y oírle, quiere agradecerle todos nuestros triunfos. ¿No quiere Su Majestad asomarse al balcón[16] para satisfacerle?

REY. — ¡No, mil veces no! ¡Estoy ocupado!... ¡Ocupadísimo!

5 MINISTRO.—Pero, Majestad, entre el pueblo se halla la célebre artista de cine, Lola Brígida López. Atraída[17] por la fama de Su Majestad y llena de curiosidad, ella viene a oír sus sabias[18] palabras, ella viene a admirarle.

REY. — ¡Lola Brígida! ¡Qué demonio![19] Pues ¿por qué no la haces
10 entrar en seguida?

MINISTRO. — Desde luego,[20] Majestad, pero le advierto[21] que Su Majestad ha señalado[22] para hoy la querella[f] de la suegra contra los dos yernos.

REY. — ¡Y cómo me vienes ahora con ésas![23] Quiero hablar cuanto
15 antes[24] con Lola Brígida. ¡Que se presente[25] aquí en seguida! (*Vase el Ministro.*) Conque la célebre Lola viene a mi corte a admirarme. Me figuro[26] que ella tratará de[27] hacerme el amor... (*Las Muchachas forman un coro y cantan alguna canción apropiada; luego, al ver entrar a Lola, quien viene seguida del Ministro, el Rey baja del trono para*
20 *recibirla. Lola le besa la mano, y él besa el lugar besado.*) Bien venida, gloriosa Lola Brígida. ¡Qué sorpresa tan grata![28]

---

[16]*asomarse al balcón*—to appear on the balcony
[17]*atraer*—to attract
[18]*sabio*—wise
[19]*¡qué demonio!*—what the deuce!
[20]*desde luego*—at once, of course
[21]*advertir*—to note, warn, inform
[22]*señalar*—to point (out), set (a date, etc.)
[23]*ésas* (= *esas cosas*)—such things

[24]*cuanto antes*—as soon as possible
[25]*que se presente*—let her present herself; *que vengan*—let (them) come (subjve. of wish)
[26]*figurarse*—to imagine
[27]*tratar de* (+inf.)—to try to; *tratarse de*—to be a question of, be involved
[28]*¡Qué... grata!*—What a most welcome surprise! (cf. Ch. 4, fn. 5)

[f] *querella*—complaint

LOLA. — *Hello, king. (Le da un golpe[29] en la espalda que casi le hace caerse.)*

REY. (*Al Ministro.*) — ¿Qué dice?

MINISTRO. — Saluda a Su Majestad en inglés por supuesto,[30] ya que es americana de los Estados Unidos. Viene de California en la costa del   5
Pacífico.

REY. — ¡Ah, California! Allá donde se mezcla y se confunde[31] el color de las naranjas^g con lo verde[32] de los montes y lo azul del mar. ¿Y qué he de decir de los maravillosos y pintorescos^h cielos de California y de las brillantes estrellas[33] de Hollywood, guapa?[34] Con esos   10
divinos ojos negros eres digna de ser mi reina.[35] De buena gana[36] te daré hasta la mitad de mi reino,[37] si quieres aceptar este don[38] mío.

MINISTRO. — Majestad, creo que será conveniente[39] ahora oír la querella de la suegra, y así la señorita Lola podrá admirar el juicio y la justicia de Su Majestad.   15

REY. — Muy bien. No me opongo.[40] Que vengan[25] la suegra y los yernos. (*Vase el Ministro.*) Benditos los ojos que ven tu hermosura, adorada Lola. (*Al coro.*) ¡Una canción, muchachas! (*El Rey ejecuta un baile[41] con Lola mientras canta el coro, y luego la conduce adonde está el trono y ella se sienta a su lado. Las Muchachas se colocan como antes   20 y repiten varias veces:* ¡Viva, viva el Rey, *etc.*! *Vuelve el Ministro con la Suegra y los dos Yernos, los cuales se ponen de rodillas ante el Rey; éste se dirige al Ministro:*) Debes explicar a Lola el asunto de la querella en su propio idioma.

---

²⁹*golpe*—blow, slap

³⁰*por supuesto*—of course

³¹*mezclar*—to mix; *confundir*—to confuse

³²*lo verde*—the green(ness); *lo azul*—the blue(ness)

³³*estrella*—star

³⁴*guapo*—good-looking, handsome

³⁵*reina*—queen

³⁶*de buena gana*—willingly, heartily

³⁷*reino*—kingdom

³⁸*don*—gift, boon

³⁹*conveniente*—suitable

⁴⁰*oponerse*—to be opposed to, resist, object

⁴¹*baile*—dance

^g *naranja*—orange   ^h *pintoresco*—picturesque

LOLA. — Puede hablarme en español. Yo entiendo perfectamente el español, el francés y otros idiomas.

REY. — ¡Caramba!ⁱ (*Al Ministro*). Pues dinos⁴² en español de qué se trata.²⁷

5 MINISTRO. — Pues se trata de que esta señora no sabe cuál de estos dos hombres es su yerno, y pide que el rey resuelva el caso.

REY. — Levantaos.⁴² (*Señalando al Yerno Primero.*) Habla tú.⁴²

YERNO 1º. — Gran rey, esta mujer no es mi suegra. Yo partí de esta tierra hace veinte años,⁴³ recorrí⁴⁴ todas las provincias de nuestra
10 patria⁴⁵ y todas las capitales del extranjero, crucé⁴⁶ desiertos y bosques,⁴⁷ atravesé⁴⁶ ríos y mares, y no paré⁴⁸ hasta llegar a una isla apartada,⁴⁹ donde me casé con una muchacha de sangre india.⁵⁰ Esta mujer no tiene cara india.⁵¹ No puede, pues, ser mi suegra sino la de él.

YERNO 2º. — ¡Miente el desgraciado!⁵² Juro a Su real⁵³ Majestad
15 que este sujeto ordinario no sabe distinguir entre lo real y lo falso. Yo lo sé. Le conozco porque es mi pariente.⁵⁴ Yo cuento con la justicia de Su Majestad.

---

⁴²*dinos*—tell us (*di*—irregular familiar sg. imperative of *decir*, with the subject *tú* expressed or understood; the corresponding polite form is *díganos Vd.*); *habla*—familiar sg. command; *levantaos*—get up (familiar pl. imperative of *levantarse*, with the subject *vosotros* expressed or understood); the corresponding polite forms are *hábleme Vd., levántense Vds.*
⁴³*hace 20 años*—20 years ago (Note *hace* + past tense)
⁴⁴*recorrer* -to travel over
⁴⁵*patria*—fatherland

⁴⁶*cruzar, atravesar*—to cross
⁴⁷*desierto*—desert; *bosque*—forest
⁴⁸*parar*—to stop
⁴⁹*isla apartada*—secluded (distant) island
⁵⁰*sangre india*—Indian blood
⁵¹*no ... india*—doesn't have an Indian face, *i. e.*, doesn't look like an Indian
⁵²*¡Miente el desgraciado !*—The wretch is lying (cf. *desgracia*—misfortune; *por desgracia*—unfortunately)
⁵³*real*—real; royal (Note the pun in *lo real*, in l. 15)
⁵⁴*pariente*—relative

ⁱ *caramba!*—the dickens!

REY. — A ver, mujer, si haciendo un esfuerzo[55] puedes decirnos cuál de los dos es tu yerno.

SUEGRA. — Lo siento, Majestad, pero, a pesar de todos mis esfuezos, no sé decírtelo, ¡ay de mí![56] Ya hace tantos años que no le veo.[57] Que te ilumine[25] tu gran sabiduría.[j] Por desgracia[52] estoy sola en el mundo y me hace falta[58] un yerno para mantenerme.

REY. — Para acertar al menos a medias,[59] cortaré a esta mujer por el medio,[60] y cada uno de vosotros tendrá una parte, es decir, mitad y mitad.[61] (*Saca su espada.*)

YERNO 1º. (*Espantado.*)[62] — ¡No, gran Alí Barba! A pesar de todo sería horrible dividirla.

YERNO 2º. (*Con satisfacción.*) — ¡Sí, gran rey! ¡Una idea notable, admirable, colosal, magnífica! ¡Es justo partirla por el medio!

REY. — Amigo, tú eres sin duda el infeliz yerno. (*Entregando la Suegra al Yerno Segundo.*) Tendrás que mantenerla y sufrirla. Por eso no te castigo[63] más.

SUEGRA. (*Muy contenta.*) — ¡Viva el sabio Alí Barba! (*Arrastra[64] al Yerno Segundo fuera de la escena.*)

LOLA. (*Dándole una palmada en la espalda.*) — *Good boy, king.*

CORO. (*Mientras el Rey sale con Lola a su lado, las Muchachas, siguiéndole, sostienen la cola de su toga y repiten varias veces:*) — ¡Viva, viva el sabio Alí Barba, rey poderoso, rey muy discreto!

TELÓN

---

[55]*esfuerzo*—effort
[56]*¡ay de mí!*—woe is me! poor me!
[57]*hace . . . veo*—I haven't seen him for so many years (Note *hace+* present tense)
[58]*me hace falta*—makes a lack to me, i. e., I need

[59]*para . . . medias*—to be at least half right
[60]*por el medio*—in the middle
[61]*mitad*—half
[62]*espantar*—to frighten, astonish
[63]*castigar*—to punish
[64]*arrastrar*—to drag (off)

[j] *sabiduría*—wisdom

CAPÍTULO SÉPTIMO

El libro talonario

The Stub-Book. Adapted from Pedro Antonio de Alarcón (1833–91), well-known for his novel *El sombrero de tres picos* (*The Three-Cornered Hat*), rated, when considered outside the serious novel, a little masterpiece of brightness.

El tío[1] Pedro tenía ya sesenta años y había pasado cuarenta labrando[a] una huerta[b] en Rota, pequeña población[2] cerca de Cádiz. Aquel año había criado[3] en su huerta unas enormes calabazas,[c] las vió

[1]*tío*—often used as title for an old man   [3]*criar*—to raise, bring up
[2]*población*—town, population

[a] *labrar*—to cultivate, work   [b] *huerta*—(large) vegetable garden   [c] *calabaza*—
pumpkin

crecer con gran satisfacción y tembló con emoción al notar que ya principiaban a ponerse amarillas. Llegaron a constituir para él una de las maravillas del mundo. Él las conocía perfectamente por la forma, por su color y hasta[4] por el nombre que les había puesto,[5] sobre todo las cuarenta más gordas[6] y amarillas. Al cabo se dió cuenta de que había que pensar en venderlas.   *5*

— Pronto tendremos que separarnos — les decía con cariño mientras las miraba melancólicamente.

Al fin, una tarde se resolvió a venderlas.

— Mañana — dijo — cortaré estas cuarenta y las llevaré al mer-   *10*
cado.[d]

Y se marchó luego a su casa y pasó la noche con las angustias[7] de un padre que va a casar una hija al día siguiente. Figúrense, pues, su desesperación cuando, al ir a la mañana siguiente a la huerta, halló que, durante la noche, le habían robado[8] las cuarenta calabazas. Pensando   *15*
bien el caso comprendió que sus calabazas no podían estar en Rota, porque el ladrón[9] se daría cuenta[10] de que él las buscaría y reconocería. Había que ir[11] a Cádiz.

— ¡Como si lo viera,[12] están en Cadiz! — se dijo de repente. Permaneció todavía unos minutos en el lugar de la catástrofe,   *20*
contando las calabazas que faltaban, y luego partió con dirección al muelle.[e]

---

[4]*hasta*—even
[5]*poner* (*un nombre*)—to give (a name)
[6]*gordo*—fat, large
[7]*angustia* (*s*)—anguish
[8]*le habían robado*—someone had stolen from him (Note *le*, dative of separation used with such verbs as *pedir*, *quitar*, *comprar*, etc.)
[9]*ladrón*—thief

[10]*darse cuenta* (*de*)—to realize, be aware (of). Note cond. of probability in the past: *se daría cuenta*—probably realized
[11]*había que* + inf.—it was necessary (cf. *hay que*)
[12]*como si lo viera*—as if I saw it (happen), *i. e.*, I'm sure

[d] *mercado*—market   [e] *muelle*—wharf

Por casualidad,[13] ya estaba para[14] salir el *barco*[f] *de la hora*, que conduce pasajeros a Cádiz y se llama así porque en una hora, y a veces en menos tiempo, cruza la distancia de tres leguas[g] que hay entre Rota y Cádiz. Sucedió, pues, que pudo salir inmediatamente para esa ciudad,

5 a fin de[15] ver si daba con[16] sus calabazas. Claro está que había comprado un billete de ida y vuelta.[17]

Eran las diez y media de la mañana cuando se paró el tío Pedro delante de un puesto de verduras[h] del mercado de Cádiz y le dijo a un policía[i] que le acompañaba:

10 — ¡Éstas son mis calabazas! ¡Lleve usted preso[18] a ese hombre! — Y señalaba al vendedor.

— ¡Llevarme preso a mí! ¿Está usted burlándose[19] de mí? Pues no estoy para[20] burlas — contestó el vendedor lleno de sorpresa. — Estas calabazas son mías. Yo las he comprado y pagado.

15 El tío Pedro, hombre de carácter muy violento (aunque de corazón muy bueno) y capaz de defender sus derechos con toda su energía, gritó a voz en cuello[21] que las calabazas eran robadas. Los dos hombres empezaron a insultarse, y acudieron algunas personas. Entre ellas estaba el juez[22] encargado de los mercados, quien preguntó al

20 vendedor:

— ¿A quién le[23] ha comprado usted esas calabazas?

— Al tío Fulano,[24] vecino[25] de Rota — respondió el vendedor.

---

[13]*por casualidad*—by chance
[14]*estar para*+inf.—to be about to
[15]*a fin de*=*para*
[16]*dar con*—to come upon, hit upon, find, meet
[17]*de ida y vuelta*—round-trip
[18]*llevar preso*—to arrest
[19]*burlarse (de)*—to make fun (of)

[20]*estar para* (*burlas*)—to be in a mood for (jests)
[21]*a voz en cuello*—at the top of (his) voice
[22]*juez*—judge
[23]*¿A quién le ...?*—From whom ...?
[24]*tío Fulano*—Uncle So-and-so
[25]*vecino*—neighbor, citizen

[f] *barco*—boat   [g] *legua*—league   [h] *puesto de verduras*—vegetable stand
[i] *policía*—policeman

— ¡Ése había de ser![26] — gritó el tío Pedro con enfado. — Cuando su huerta, que es muy mala, le produce poco, roba en la del vecino.

— Pero, ¿cómo sabe usted — preguntó el juez, dirigiéndose al tío Pedro — que éstas, y no otras, son las suyas?

— ¡Vamos, porque las conozco como usted a sus hijas, si las tiene! ¿No ve usted que las he criado? — respondió el tío Pedro. Y señalando varias calabazas llamándolas por su nombre, terminó: — Y ésta se llama Manuela, porque se parecía mucho a[27] mi hija menor. Y el pobre viejo se echó a llorar[28] como un niño.

— Pero hay que identificarlas — dijo el juez — según la ley, con pruebas más seguras.

— ¡Pues es fácil! ¡Verá usted qué pronto le pruebo yo a todo el mundo, sin moverme de aquí, que esas calabazas se han criado en mi huerta! Y echando al suelo un saco[j] que llevaba en la mano, se arrodilló y empezó a desatarlo[k] tranquilamente. Al mismo tiempo llegó otro hombre a ver qué pasaba en aquel grupo, y, al verle, el vendedor exclamó:

— ¡Me alegro de[29] que haya llegado usted, tío Fulano! Este hombre dice que las calabazas que me vendió usted anoche son robadas.

El tío Fulano se puso más amarillo que la cera[l] y trató de escaparse, pero se encontró rodeado[30] por los demás, los cuales se lo impidieron,[31] y el juez le mandó quedarse. Entretanto[32] el tío Pedro acabó de desatar el saco y, echando al suelo una multitud de tallos,[m] se dirigió a todo el grupo:

— Caballeros: ¿No han pagado ustedes nunca contribución?[n] Pues,

[26]*Ése . . . ser*—It was (bound) to be that fellow
[27]*parecerse a*—to resemble, look like
[28]*echarse a (llorar)*—to start (to cry), burst out (crying)
[29]*alegrarse (de)*—to be glad
[30]*rodear*—to surround
[31]*los cuales se lo impidieron*—who prevented it (for him), i. e., who prevented him from doing so
[32]*entretanto*—in the meantime

[j] *saco*—sack, bag   [k] *desatar*—to untie   [l] *cera*—wax   [m] *tallo*—stem, stalk
[n] *contribución*—tax(es)

al recibirla, el recaudador[o] va cortando[33] recibos[34] de su libro verde, y en ese libro queda de cada recibo un pedazo,[35] y así se puede probar si el recibo es falso o no, y ese libro se llama el libro talonario. Pues eso es lo que yo traigo aquí: el libro talonario de mi huerta; es decir, los tallos a que estaban unidas mis calabazas. Miren ustedes: este tallo corresponde a esta calabaza . . . Nadie puede dudarlo . . . Este otro . . . ya lo ven ustedes,[36] es de ésta . . . Este más ancho . . . será de aquélla . . .

Los espectadores veían con asombro[37] que los tallos correspondían como decía el tío Pedro. Excusado[p] es decir que le llevaron preso al tío Fulano, quien tuvo que devolver al vendedor los quince duros que había recibido. El vendedor, claro, se los entregó en seguida al tío Pedro, el cual se marchó a Rota contentísimo, diciendo por el camino:

— ¡Qué hermosas estaban en el mercado! ¡He debido traerme[38] a Manuela, para comérmela esta noche y guardar las pepitas.[q]

[33]*va cortando*—keeps cutting (*Ir* often replaces *estar* before the pres. part. to stress more gradual action)
[34]*recibo*—receipt
[35]*pedazo*—piece
[36]*ya lo ven Vds.*—you see for yourselves
[37]*asombro*—astonishment, amazement
[38]*He debido* (*traerme*)—I should have (brought along)

[o] *recaudador*—tax collector [p] *excusado*—needless [q] *pepita*—seed

CAPÍTULO OCTAVO

La luna¹ de miel

The Honeymoon was adapted from Pablo Parellada. See headnote on p. 6.

PERSONAJES

MATILDE	CURA²
NONITO	REVISORᵃ
DOÑA PACA	

La escena representa dos departamentos. No hay necesidad de acudir a los carpinterosᵇ para esta sencilla representación. Dos sillas colocadas

¹*luna (de miel)*—moon (of honey) ²*cura*—priest

ᵃ *revisor*—(ticket-) inspector   ᵇ *carpintero*—carpenter

frente a otras dos formarán un departamento; igual arreglo[3] *para el otro,*
con una mampara[c] *entre los dos.* Al levantarse el telón, vemos en uno de
ellos al Cura; Matilde y Nonito se acomodan[4] en el otro, mientras que
doña Paca registra[d] una cesta. Hace mucho calor, y el Cura se abanica[e]
5   con un abanico de paja.[f]

DOÑA PACA. — Ya decía yo, Matildita, que se te había olvidado[5]
algo . . . (*A Nonito*) Matildita, sabes, desde que tuvo el sarampión,[g]
algunas veces . . . (*Campana.*)

MATILDE. — La campana, mamá.

10   DOÑA PACA. — Es la primera, y nos quedan unos minutos todavía.
He pagado un billete de andén[h] y quiero aprovecharlo . . .[6] (*A Nonito.*)
Algunas veces, sabes, desde que Matildita tuvo el sarampión, no puede
despegar[i] los ojos por la mañana, si por la noche no se unta[j] con una
fórmula[k] que ha dispuesto el médico, y se nos ha olvidado[5] el tarrito.[l]

15   (*Sigue registrando en la cesta.*)

MATILDE. — (*Aparte.*) — ¡Delante de Nonito! ¡Qué vergüenza![7]

DOÑA PACA. — ¿Sabéis, hijos? A mí me parece que no debéis ir solos.
(*Baja al andén.*)

NONITO. — Pues a mí me parece lo contrario. Al fin y al cabo ya no
20   somos niños.

---

[3]*arreglo*—arrangement
[4]*acomodarse*—to settle down, make oneself comfortable (in a chair, etc.)
[5]*se . . . olvidado*—it had forgotten itself to you, *i. e.*, you had forgotten; *se nos ha olvidado*—we have forgotten

[6]*aprovechar*—to profit by, take advantage of
[7]*¡Qué vergüenza!*—What shame, *i. e.*, How embarrassing

[c] *mampara*—screen   [d] *registrar*—to search, examine   [e] *abanicar*—to fan
[f] *paja*—straw   [g] *sarampión*—measles   [h] *andén*—platform (of railway station)
[i] *despegar*—to unglue, *i.e.*, open   [j] *untar*—to smear, *i.e.*, rub   [k] *fórmula*—formula, *i. e.*, prescription, medicine   [l] *tarrito*—little jar

DOÑA PACA. (*Desde el andén.*) — Nada,[8] nada; ¡abajo ahora mismo! Aquí al lado va un señor cura, y con él iréis muy bien.[9]

NONITO. — (*Aparte.*) — ¡Qué mujer tan molesta![10] En este mundo ya no hay libertad sino para las suegras.

MATILDE. — Hazlo por mí,[11] Nonito. (*Los dos recogen[12] el equipaje y, seguidos de doña Paca, se pasan al otro departamento.*)   *5*

DOÑA PACA, MATILDE Y NONITO. — Buenas tardes.

CURA. — Felices.[13]

MATILDE. — ¡Qué calor más espantoso![10]

CURA. — En este coche se pueden cocer[14] huevos.   *10*

DOÑA PACA. — Yo me quejo[15] más de lo sucio que se pone uno[16] viajando. Ya se lo decía yo a éstos.[17] ¿Sabe usted? Acaban de casarse, y como es de buen tono[18] hacer el viaje de novios, van a Madrid a pasar la luna de miel.

CURA. — Sea enhorabuena.[19]   *15*

DOÑA PACA, MATILDE Y NONITO. — Gracias. (*Campana.*)

DOÑA PACA. (*Abrazando a Matilde.*) — ¡Ay, hija mía! ¡Hija de mi corazón! (*Se echa a llorar desesperadamente.*)

CURA. — No hay que afligirse,[20] señora: son cosas de la vida.[21]   *20*

[8]*nada*—never mind

[9]*iréis muy bien*—you will have a very nice trip

[10]*¡Qué . . . molesta!*—What a most irritating woman! *¡Qué . . . espantoso!* —What most frightful heat, *i. e.*, How frightfully warm! (cf. Ch. 4, fn. 5)

[11]*Hazlo por mí* (familiar command)— do it for my sake

[12]*recoger*—to collect, pick up

[13]*Felices* (supply *tardes*)—Good afternoon

[14]*cocer*—to cook, to boil

[15]*quejarse*—to complain

[16]*lo . . . uno*—how dirty one gets (a common use of *lo* + adj. or adv. in constructions like the present)

[17]*Ya . . . éstos*—I told them so

[18]*tono*—tone; *de buen tono*—fashionable

[19]*Sea enhorabuena*—May it be in a good hour, *i. e.*, congratulations

[20]*No . . . afligirse*—There is no need to torment yourself

[21]*son . . . vida*—life is like that

DOÑA PACA. — Usted no sabe lo que es separarse de una hija . . .
Cuídemelos,[22] señor cura. (*Baja al andén. Pito[m] de jefe de estación. El
tren se pone en marcha,*[23] *y los viajeros lo indican con un movimiento
apropiado.*)

5　　NONITO. (*Aparte.*) ¡Por fin me he librado[24] de ella! ¡Gracias a Dios!
(*A Matilde.*) Vamos, Matildita, no llores más. (*Le coge*[25] *las manos.*)
¡Rica![26]

　　MATILDE. — ¡Rico! (*Le da palmaditas en la mano.*)

　　CURA. — Señores: Siempre que[27] emprendo un viaje tengo por
10　costumbre rezar una oración;[28] si ustedes tienen gusto en acompañarme,
rezaremos los tres.[28] (*Murmuran una oración; se duerme el Cura.*)

　　NONITO. — ¡Por fin se ha dormido el cura!

　　MATILDE. — Gracias a Dios.

　　NONITO. — ¿Quieres un bombón,[n] vida mía? (*De la cesta lo saca.*)

15　MATILDE. — ¡Rico mío! (*Tomando el bombón, le besa la mano.*)
Nonito, ¿qué es eso que cuelga[29] del techo?[o]

　　NONITO. — No sé; será[30] para encender[31] la luz.

　　MATILDE. (*Se levanta y tira de*[32] *la cuerda.*)[p] — No se enciende
nada.[31] (*Vuelve a tirar, y se detiene el tren.*)

20　CURA. (*Despertando.*) — El timbre de alarma . . .[q] ¿Hay algún
accidente? (*Aparece el Revisor.*)[r]

　　REVISOR. — Señor cura, ¿ha tocado usted el timbre de alarma?

---

[22]*Cuídemelos*—Take care of them (Note *me* ' for me')

[23]*ponerse en marcha*—to start moving; ¡*en marcha!*—let's go!

[24]*librarse*—to free oneself, get rid

[25]*coger*—to pick (up), catch, take

[26]*rico (-a)*—darling, sweetheart

[27]*siempre que*—whenever

[28]*rezar*—to pray; *oración*—prayer; *-emos los tres*—the three of us will pray

[29]*colgar*—to hang

[30]*será*—it must be

[31]*encender*—to light, turn on (light); *no se enciende nada*—no light whatever comes on

[32]*tirar*—to throw; - (*de*) to pull

[m] *pito*—whistle　[n] *bombón*—(piece of) candy　[o] *techo*—ceiling, roof　[p] *cuerda*—cord
[q] *timbre de alarma*—alarm bell　[r] *revisor*—(ticket-) inspector

CURA. (*Mirando a los recién casados.*) — Todavía no.

REVISOR. — Entonces han sido ustedes;[33] la señal[34] viene de este coche.

NONITO. — Lo sentimos, pero no sabíamos que . . .

REVISOR. (*Al exterior.*) — ¡No es nada! ¡En marcha![23] (*El tren vuelve a ponerse en marcha.*) Lo siento, pero tengo que cobrarles[35] cincuenta pesetas.

NONITO. — ¿Y si no las quiero pagar?

REVISOR. — La pareja de la Guardia Civil[36] se encargará de usted . . .

MATILDE. — ¡Esto es un abuso! (*Llora.*)

REVISOR. — Cumplo con mi deber.

NONITO. — No llores, cielo; pagaremos, y en paz . . . (*Dándole un billete*s *al Revisor*) Veinticinco . . . (*Busca en diferentes bolsillos.*) Treinta y cinco . . . Cuarenta . . . Cuarenta y nueve . . . No llevo más; llévenos usted a la cárcel, si quiere . . .

REVISOR. — Es lo mismo![37] yo lo siento mucho; servidor de ustedes.[38] (*Vase; el Cura vuelve a dormirse.*)

NONITO. — ¡El único dinero que llevábamos! . . . ¿Qué vamos a cenar?

MATILDE. — Telegrafiamos a mamá y . . .

NONITO. — ¿Con qué dinero?

MATILDE. — Es verdad . . . ¡Ah! Podremos empeñar[39] tu reloj . . .

NONITO. — Lo vendí para hacer este viaje.

MATILDE. — Es lo mismo; llevo los pendientes*t* que me regalaste.[40]

---

[33]*han sido Vds.*—you have been (the ones), *i. e.,* it was you

[34]*señal*—signal, sign

[35]See Ch. 3, fn. 5

[36]*Guardia Civil*—(cf. Ch. 2, fn. 35)

[37]*Es lo mismo*—Never mind, that's all right, that is near enough

[38]*servidor de Vds.*—your servant (A common phrase to be rendered in English as suits the context; here: 'good-by')

[39]*empeñar*—to pawn

[40]*regalar*—to give (as a present)

s *billete*—bill (paper money), ticket   t *pendiente*—earring

NONITO. — Ay, Matildita, no valen lo que has creído. Te engañé porque tu madre . . . ya sabes . . . No te incomodes.[u]

MATILDE. — Me incomodo por tu falta de confianza.[41] Un marido que no confía a su mujer sus pensamientos más íntimos, sus penas y
5 sus cuidados, un marido que tiene secretos para su mujer, no puede hacerla feliz.

NONITO. — También tú me ocultaste lo del[42] sarampión. (*Se despierta el Cura.*)

MATILDE. — ¡Me echas en cara[43] mis defectos! ¡Grosero![v] ¡Hemos
10 concluido para siempre!

CURA. — Pero, señores, ¿qué es esto?

MATILDE. — Yo me quiero volver a casa de mi mamá. Yo no sigo el viaje con este hombre. Ahora mismo voy a parar el tren. (*Va a tirar de la cuerda.*)

15 NONITO. — ¡Eh! ¡No hagas eso! (*La detiene.*)

CURA. — Ahora cuesta doble.

MATILDE. — ¡Mal marido!

NONITO. — ¡Caprichosa![w]

CURA. — Vamos, señores. Tranquilícense[x] ustedes. ¡Vaya, vaya!
20 Hagan las paces.[44] (*Sigue hablándoles un rato[45] por lo bajo; luego en voz alta.*) Y digo esto, porque es una obra de caridad[46] dar buen consejo al que lo necesita.

MATILDE. — Yo . . . no le guardo rencor.[y]

NONITO. — Yo . . . le devuelvo mi cariño.

25 MATILDE. — ¡Nonito!

NONITO. — ¡Matildita! (*Se abrazan.*)

---

[41]*confianza*—confidence, trust
[42]*lo del*—the matter of the (measles)
[43]*Me . . . cara*—You throw in my face
[44]*hacer las paces*—to make up
[45]*rato*—short time, while
[46]*caridad*—charity, mercy

[u] *incomodarse*—to be annoyed [v] *grosero*—coarse fellow [w] *caprichosa*—capricious woman [x] *tranquilizarse*—to calm oneself [y] *guardar rencor*—to hold a grudge against

CURA. — No lo decía para tanto.[47] ¡Caramba! (*Aparece el Revisor.*)

REVISOR. — En atención a que han tocado ustedes el timbre sólo por equivocación, el jefe me ha mandado devolverles el dinero. (*Vase.*)

MATILDE. — ¡Qué dicha, Nonito! (*Vuelven a abrazarse.*)

CURA. — ¡Los pajarillos! (*Sonriendo.*) ¡Bendito sea Dios! 5

TELÓN

---

[47]*No . . . tanto*—That is more than I had intended

CAPÍTULO NOVENO

Repaso de examen (1)

Review for Examination. Adapted from Pablo Parellada, author of the preceding sketch, the first scene of Chapter 2, and the story of Chapter 5.

PERSONAJES

PEPE, *cadete*	ÁUREA
BRAULIO, *sereno*[1]	MOZO

La acción en Toledo, época actual.[2] *Dos casas medianeras.*[a] *Es de noche.*[3] *Al levantarse el telón, viene lentamente*[4] *Braulio, y llama a la ventana de la derecha.*

BRAULIO. — ¡Señorito! ¡Señorito! ¡Que[5] me ha mandado usted despertarle a las tres! (*Pepe abre la ventana y se asoma.*)[6] ¿Hay que estudiar, eh? 5

PEPE. — Sí; estudiar para examen. Ahora mismo me lavo, me hago mi taza de café . . .[7]

BRAULIO. — ¿Y a dormir otra vez? No me sorprendería.[8]

PEPE. — No, hombre; a estudiar hasta aprenderlo todo a fondo.[9] 10

BRAULIO. — Es que[10] si vuelve usted a la cama como otras noches, echo la ventana abajo.[11]

PEPE. — Descuide usted,[12] pues tengo que repasar la Astronomía, aunque ya me duele[13] la cabeza de tanto estudiar en estos últimos días.

---

[1] The *sereno* ('night watchman') has the keys to the houses of a particular section assigned to his care, except an occasional single-family home. One summons him by clapping one's hands and shouting ¡*Sereno!* From the lantern on his *chuzo* ('spear-like staff') he will light a thin taper which one must have so as to see through the darkness of the corridors. The name *sereno* ('serene,' 'clear,' 'unclouded') goes back to the former custom of his singing out the hour and state of the weather (*e. g.*, ¡*las dos y sereno!*)

[2] *época actual*—present time
[3] *de noche*—(at) night
[4] *lentamente*—slowly
[5] Do not translate *que*. It suggests that some such expression as 'remember' is in the speaker's mind.
[6] *asomar(se)*—to appear, look (lean) out
[7] *taza de café*—cup of coffee
[8] *sorprender, extrañar*—to surprise
[9] *a fondo*—thoroughly
[10] *es que*—the point (fact) is
[11] *echar abajo*—to knock down
[12] *Descuide Vd.*—Do not worry
[13] *doler*—to hurt, ache; *me . . . cabeza*—my head aches

[a] *medianero*—having a common wall

Figúrese usted: ¡ochenta páginas de texto sobre las estrellas! Parece que hay millones de estrellas, sin contar las de Hollywood. Por cierto que . . . (*Mira al cielo*.) aquélla es la estrella Polar. ¿Ves aquel grupo de estrellas que brilla tanto? Es la Osa Mayor.[b] Conviene[14] saber algo de
5 las cosas. ¿Tú creerás[15] que todo está quieto; pues, no señor; todo eso se mueve.

BRAULIO. — ¿Y se mueve la osa? Vaya, vaya, vaya; buenas noches. (*Vase*.)

PEPE. — Hasta mañana. (*Cierra la ventana; se oye un coche, y a*
10 *poco*[16] *llega un Mozo, seguido de Áurea*.)

ÁUREA. — Siento el mal rato[17] que voy a dar a mis tíos.

MOZO. — ¿Pero no avisó usted que venía? (*Llama a la puerta de la izquierda*.)

ÁUREA. — Hace cuatro días. Por eso me extraña[8] que no haya
15 estado nadie en la estación. Se conoce[18] que se ha perdido la carta.

MOZO. — ¿Echó usted misma la carta al correo?[19]

ÁUREA. — Se la di a la criada.

MOZO. — ¿Con el sello pegado?[20] (*Vuelve a llamar*.)

ÁUREA. — No; le di el dinero para comprarlo.
20 MOZO. — No diga usted más:[21] se ha perdido la carta, y la pícara de la criada[22] se ha guardado el dinero.

ÁUREA. — ¡Parece mentira![23] (*El Mozo vuelve a llamar*.)

---

[14]*convenir*—to agree, suit; *conviene*—it is well (advisable, desirable)
[15]*creerás*—must believe (probably believe)
[16]*a poco*—presently, soon
[17]*mal rato*—bad moment, *i. e.*, unpleasantness
[18]*se conoce*—it is evident
[19]*echar al correo*—to mail

[20]*sello pegado*—stamp stuck on (*pegar*—to beat, strike; to stick, paste)
[21]*No . . . más*—That settles it
[22]*pícara de la criada*—roguish maid. Cf. 'prince of a fellow'
[23]*parece mentira*—it seems a lie, *i. e.*, it's incredible, it hardly seems possible

[b] *osa*—she-bear; *Osa Mayor*—Ursa Major, Big Dipper

PEPE. (*Dentro.*)[24] — Ya, ya.[25]

MOZO. — Ya han contestado,[26] y puesto que[27] tengo otro viaje que hacer . . .

ÁUREA. — Vaya, usted, vaya, ya que[27] me parece que bajan.[26] (*Le paga; el Mozo da las gracias y se despide.*[28] *Luego el coche comienza a alejarse.*) ¡Cuánto tardan! Ya siento haber despedido[28] al mozo, pero no hay remedio.[29] (*Llama.*)

PEPE. (*En la ventana.*) — ¡Que ya voy![30]

ÁUREA. (*Aparte.*) — (¡Dios mío! Pepe, el cadete, es el que ha contestado, y en mi casa no se oye nada.) (*Llama otra vez.*)

PEPE. — Es inútil llamar, ya que no hay nadie en la casa; los señores de Argés se fueron al campo, y no vuelven hasta mañana. Conque es inútil dar esos golpes que no pueden menos de[31] oírse en todas las casas de esta calle estrecha, cuando los vecinos duermen y yo tengo que estudiar. (*Áurea, desesperada, vuelve a llamar.*) ¿Qué burla es ésa? ¿Es usted sordo?[32] Pues allá voy a decírselo por señas.[33]

ÁUREA. (*Aparte.*) — ¡Ay, yo a solas con el más atrevido de los cadetes! ¡El que me escribió las cartitas[34] el verano pasado! . . . (*Se echa la mantilla a la cara.*)[35]

---

[24]*dentro*—inside, *i. e.*, off-stage

[25]*Ya, ya*—All right, just a moment (a common conversational use with slight variations of meaning)

[26]*han contestado . . . bajan*—someone has answered, . . . someone is coming down

[27]*puesto que, ya que*—since

[28]*despedir*—to dismiss, send away; *-se (de)*—to say good-by (to)

[29]*no hay remedio, ¿qué remedio?*—there's no way out, it can't be helped

[30]*¡Que ya voy!*—I'm coming (cf. fn. 5 in this Ch.)

[31]*no poder menos de*—can't help (being heard)

[32]*sordo*—deaf (Note that, if Pepe knew he was addressing a woman, he would have used *sorda*.)

[33]*por señas*—by signs, *i. e.*, in sign language

[34]*cartita*—little letter (ironical reference to letters which later prove to have been huge.)

[35]*Se . . . cara*—She puts the *mantilla* over her face (Long white or black scarf, covering the head and falling over the shoulders)

PEPE. (*Saliendo de la casa.*) — A ver quién llama de ese modo.

ÁUREA. (*Fingiendo*[36] *voz de vieja.*) — Acabo de llegar de Madrid y, según parece, no están en casa los señores de Argés . . . Somos amigos desde hace más de cincuenta años.[37]

5   PEPE. (*Aparte.*) — (¡Una vieja! ¡Qué mala suerte!)[38] (*A Áurea.*) ¿Y va usted a pasarse la noche en la calle?

ÁUREA. — ¿Qué remedio?[29] Sentada en el umbral[c] de la puerta.

PEPE. — Puede usted pasar a mi modesta habitación[39] de casa de huéspedes.

10   ÁUREA. — ¡Jesús!

PEPE. — ¿Por qué no? Yo he de seguir estudiando hasta la hora de ir a examen . . . Tengo que aprenderlo todo a fondo.[9]

ÁUREA. — ¡Yo pasar la noche en su habitación! ¿Qué se diría de nosotros?

15   PEPE. — Es verdad; sobre todo de mí. Pero a lo menos me permitirá usted sacarle una silla.

ÁUREA. — Eso ya es otra cosa. Luego iré a la iglesia inmediata.[40] Es mi costumbre oír la misa de alba.[41]

PEPE. (*Sacando un sillón.*) — Éste es un sillón muy antiguo. (*Áurea*
20 *se sienta.*) Las antigüedades artísticas son la especialidad de Toledo; yo duermo en una cama que fue de don Juan Manuel,* y estudio en este sillón donde comía Felipe II† antes de morirse.

ÁUREA. — Naturalmente que no iba a comer después de morirse . . .

---

[36]*fingir*—to feign, pretend, imitate
[37]*Somos . . . años*—We've been friends for over fifty years
[38]*suerte*—fate, luck

[39]*habitación*—room
[40]*iglesia inmediata*—church close by
[41]*misa*—mass; — *de alba* ('dawn')— early mass

[c] *umbral*—threshold

* Don Juan Manuel—See headnote on p. 1.
† Felipe II—See Vocabulary.

Ya sé que aquí en Toledo no hay objeto que no sea[42] antigüedad, ni edificio que no tenga[42] su historia.

PEPE. — Sí, señora; incluso esta casa adonde se dirige usted.

ÁUREA. — Será historia moderna, porque hace unos cuarenta años que yo vi construir esta casa.[43]

PEPE. — Es una historia del verano pasado, en la que tomó parte una sobrina[44] de los señores de Argés. Usted la conocerá.

ÁUREA. — Ya lo creo:[45] Áurea.

5

---

[42]*sea, tenga*—pres. subjve. (of *ser, tener*) after a negative or non-existent antecedent

[43]*yo . . . casa*—I saw this house built
[44]*sobrina*—niece
[45]*Ya lo creo*—I should say so, of course

CAPÍTULO DÉCIMO

Repaso de examen (II)

PEPE. — ¡Áurea! Derivado de oro. En cuanto la vi me enamoré de[1] ella . . . vamos . . . de una manera . . . que, por ella, dejé de[2] estudiar. Iba a clase completamente tonto, y perdí dos cursos. Veintitantas[3] cartas le escribí, sin obtener contestación. Ni conseguí verla después de la
5   primera vez. ¿Cree usted que esto está bien hecho?

ÁUREA. — Áurea me lo confió todo en cuanto regresó a su casa. Ella supuso[4] que se trataba de un pasatiempo,[a] pues un día recibió unas treinta cartas de declaración[5] de otros tantos[6] compañeros de usted . . .

10   PEPE. — Que tenían ganas de broma;[7] pero es que yo le di pruebas . . . Todas las mañanas llenaba su balcón de flores hasta arriba.[8]

ÁUREA. — Francamente me parecen demasiadas flores.[9]

PEPE. — Es que un amigo mío tiene al otro lado del río un jardín, y puso todas sus flores y un carro[10] a mi disposición . . . Ya ve usted si
15   tengo motivo para quejarme de Áurea.

---

[1]*enamorarse de*—to fall in love with
[2]*dejar de*+inf.—to stop, fail
[3]*veintitantos*—twenty-odd
[4]*suponer*—to suppose
[5]*declaración*—proposal (of love)
[6]*otros tantos*—as many, an equal number of

[7]*tenían . . . broma*—felt like having (were anxious to have) a joke
[8]*arriba*—up, above; *hasta arriba*—to the top
[9]Note pun on the two meanings of *flores*—flowers; compliments
[10]*carro*—cart

[a] *pasatiempo*—pastime

50

ÁUREA. — Ella me dijo por qué no le contestó, y demasiado[11] lo sabe usted.

PEPE. — De ningún modo.

ÁUREA. — ¿Qué tamaño[b] tenía su primera carta?

PEPE. — El de una tarjeta[c] de visita; pero al segundo día le envié   5
otra carta de tamaño corriente.[12]

ÁUREA. — Y al tercero, otra más grande, y así cada día fué usted aumentando[13] las dimensiones. ¡Qué broma tan graciosa!

PEPE. — ¡No, señora! Rabia,[14] por su silencio.

ÁUREA. — Y acabó usted por enviarle una carta que apenas cabía   10
por[15] la puerta . . . Y luego la otra diablura:[d] una mañana apareció un joven ahorcado[e] pendiente[f] de ese balcón . . . Un muñeco[g] vestido de uniforme, con un papel que decía: "Por amor".

PEPE. — Eso fué cosa de mis compañeros.[16] Yo le di unas bofetadas[h] al autor de la broma.   15

ÁUREA. — Pues la chica sigue creyendo que fué cosa de usted.

PEPE. — ¡Pues no, señora! ¡Ya lo creo que no! ¿Dónde está Áurea? Dígamelo, por Dios.

ÁUREA. — ¡Calma! (*Se oye la campana del convento.*) Los comentarios sobre la broma del muñeco fueron muchos y grande la vergüenza   20
de la pobre Áurea, a la que la gente dió en[17] llamar "La Matacadetes".

[11]*demasiado*—too much, *i. e.*, only too well

[12]*corriente*—current, ordinary

[13]*fué Vd. aumentando*—you kept increasing (Note *ir* + pres. part.)

[14]*rabia*—rage, anger

[15]*apenas cabía por*—could scarcely get through; *caber*—to be contained in

[16]*Eso . . . compañeros*—My friends "cooked" that up (*cosa* often requires varied translations according to context; cf. Ch. 8, fn. 21)

[17]*dar en*—to fall into, persist in

[b] *tamaño*—size   [c] *tarjeta*—card   [d] *diablura*—mischievous prank   [e] *ahorcado*—hanged   [f] *pendiente*—swinging   [g] *muñeco*—puppet, dummy   [h] *unas bofetadas*—a couple of (good) slaps

Ella juzgó muy grave la cosa, y eso influyó mucho para la resolución que tomó: La pobre determinó entrar de novicia en ese convento inmediato, y mañana profesa. A eso[18] he venido: soy su madrina.[i]

PEPE. — ¡Caramba! Y . . . ¿le cortarán el pelo?[19] Aquel cabello tan
5   hermoso . . . Por Dios, señora, ¿podría usted hacerme la caridad de guardarme un mechoncito? . . . [j]

ÁUREA. — Ya ve usted las consecuencias que puede traer una broma poco meditada.

PEPE. — Por Dios, diga usted a Áurea que me perdone . . . nada más
10 que eso . . . que me perdone . . . (*Entra en su casa emocionado; cierra la puerta.*)

ÁUREA. (*Mira por la ventana de Pepe.*) ¡Está llorando! ¡Sí que me quiere!

BRAULIO. (*Por la izquierda.*) — ¿Quién anda en esa ventana?
15 ÁUREA. (*Voz natural.*) — Soy la sobrina de los señores de Argés.

BRAULIO. (*Iluminándole la cara con el farol.*)[k] — Ah, sí; ya la recuerdo del verano pasado.

ÁUREA. — Acabo de llegar de Madrid y me encuentro con[20] que mis tíos están en el campo.

20 BRAULIO. — Puede que[21] con alguna de estas llaves[22] se abra[23] la puerta. ¿Lleva usted mucho tiempo esperando?[24]

ÁUREA. — Bastante.

BRAULIO. — ¿Sola o acompañada?

[18]*A eso*—for that (purpose)
[19]*¿le . . . pelo?*—will they cut the hair for her, *i. e.*, will her hair be cut? (a frequent rendering of the English passive voice with 3rd pers. pl. verb)
[20]*encontrarse con*—to find, face the fact (that)

[21]*puede que = puede ser que*
[22]*llave*—key
[23]*se abra*—(the door) will open (itself). Note subjve. (pres.) after an impersonal expression of doubt
[24]*¿Lleva . . . esperando? = ¿Hace mucho tiempo que espera Vd.?*—Have you been waiting long?

[i] *madrina*—godmother   [j] *mechoncito*—little lock of hair   [k] *farol*—lantern

ÁUREA. — Sola.

BRAULIO. — ¿Y ese silloncico[25] se ha salido solo del cuarto del cadete?

ÁUREA. — ¿Yo qué sé?

BRAULIO. — Tararán . . . tan tan.[26] (*Abre.*) Ya está.[27] Pase usted y   *5* alumbraré.

ÁUREA. — Gracias, no hace falta. Hay luz eléctrica.

BRAULIO. — "Hoy las ciencias adelantan que es una barbaridad",[28] como dice don Sebastián,* ¿verdad?

ÁUREA. — Mucho, mucho.[29] (*Entra en la casa.*) Buenas noches.   *10*

BRAULIO. — Que descanse usted.[30] (*Llama en la ventana de Pepe.*) ¡Señorito! (*Sale Pepe.*) ¿Se va a quedar en la calle el sillón de Felipe Segundo?

PEPE. — ¿Y la señora que estaba en él?

BRAULIO. — En su casa. Yo le he abierto la puerta. Por lo visto[31]   *15* ha estado usted repasando la lección con ella.

PEPE. — Nada de bromas,[32] ¿eh? Es una anciana digna de todo respeto.

BRAULIO. — ¿Anciana? ¡Bueno! Una anciana que no ha cumplido los dieciocho . . . ¿No recuerda usted a la señorita Áurea?   *20*

PEPE. — ¡Imposible! Áurea profesa mañana.

---

[25]*silloncico*—little armchair; there is ironical intent in uttering the word (The combination of noun + two terminations of opposite meaning [*ón*; *ito*, *ico*] is not infrequent; cf., above, *mechoncito*.)

[26]*Tararán . . . tan tan*—Tra-la-la-la

[27]*Ya está*—There we are, *i. e.*, the door is open

[28]*las . . . barbaridad*—sciences are making terrific progress

[29]*mucho*—quite so (a familiar expression)

[30]*Que descanse Vd.*—May you rest, *i. e.*, sleep well, pleasant dreams

[31]*por lo visto*—apparently

[32]*Nada de bromas*—None of (your) jokes

* A character in the operetta *La verbena de la paloma* which, since its production in 1894, has become a little classic revived annually.

BRAULIO. — Mírela usted cerrar la ventana. (*En efecto, Áurea tiene luz en su cuarto y cierra la ventana.*)

PEPE. — ¡Caramba!

BRAULIO. — ¡Buena manerica de estudiar! Le digo a usted . . . (*Vase.*)

5 PEPE. (*Llama en la puerta de Áurea.*) — ¡Áurea! (*Pausa*) Hágame el favor de asomarse un instante. (*Pausa.*) Por Dios, Áurea, necesito hablar con usted . . . De lo contrario, usted será responsable de lo que ocurra.[33] (*Pausa.*) Está bien; adiós, Áurea . . . Adiós para siempre. (*Entra en la casa, sale con revólver que dispara[l] al aire, vuelca[m] el sillón con gran 10 ruido y queda pegado[34] a la pared.*)

ÁUREA. (*Asomando a la ventana.*) — ¡Mentira! . . . ¡Conque a estudiar![35]

PEPE. — ¡Áurea, dos minutos nada más! ¿Dudará usted todavía que la amo?

15 ÁUREA. — No, pero prométame ser más prudente. Hasta mañana. (*Le da la mano.*)

PEPE. — (*Besándosela.*) — Adiós.

BRAULIO. (*Vuelve a pasar por la escena.*) — ¡Buena manerica de estudiar! Le digo a usted . . . Le digo a usted . . .

20 TELÓN

---

[33]*de lo que ocurra*—for what(ever) occurs (may occur, will occur)
[34]*pegado (a)*—stuck, *i. e.*, leaning close (against)

[35]*¡a estudiar!*—The use of the inf. in expressing commands is common in Spanish.

[l] *disparar*—to fire   [m] *volcar*—to overturn

CAPÍTULO ONCE

El final de un idilio

The End of a Romance. Adapted from Amado Nervo (1870–1918), noted Mexican poet.

Aquel día, al anochecer, el *Prefecto*[a] *de los chicos* se acercó a mí y me dijo con voz seca:[1]

— Suárez: El señor Director le llama a usted. Póngase el sombrero y vamos al *otro colegio.*[b]

Espantado,[2] presentí no sé qué[3] catástrofes. Mientras buscaba dicha   *5*

[1]*con voz seca*—with dry voice, *i. e.*, curtly

[2]*espantar*—to frighten, astonish

[3]*no sé qué*—(I had the presentiment of) some (catastrophe) or other

[a] *Prefecto*—(Boys') Dean   [b] *colegio*—(secondary) school

prenda,[4] hacía con temor[5] mi examen de conciencia. Cuando el Director de la escuela me llamaba no era, sin duda, para hacerme alguna caricia, ni para concederme algún premio.[6] Se trataba seguramente de imponerme un castigo; pero ¿por qué? La semana anterior yo había faltado a una clase, y me impusieron un castigo relativamente leve. Además, aún me faltaban cinco días sin dulce para cumplir mi castigo de quince, que me fué aplicado gracias a aquella suela[c] de zapato viejo que encontré en el campo y que, hecha pedazos,[7] distribuí en todos los platos de carne que, a la hora de la comida,[8] pasaron de mis manos a las de mis compañeros. De pronto en mi mente[9] se hizo la luz:[10] ¡Se trataba de Concha! Y me puse pálido.

El *otro colegio*, llamado así por todos nosotros, era un internado de niñas, en una plaza de poco fondo,[11] a la derecha de nuestro edificio, al cual íbamos frecuentemente los muchachos,[12] ya[13] en busca de Sor[d] Pascuala, enfermera cariñosa que nos trataba con afán[14] y nos curaba con sus medicamentos tan amargos; ya[13] a fin de asistir a[15] la distribución de premios; ya[13] invitados a asistir a alguna representación de las chicas.

La frecuencia con que nos veíamos[16] fué origen de algunos idilios inocentes, mantenidos por cartas de muy mala ortografía.[e] Yo no había querido ser menos que[17] los demás muchachos. Escribí una carta, pues, para Concha, una niña más rubia que las mañanitas de mayo, y en cuyos ojos verdes había ya todo lo profundo del mar. Aproveché la primera

---

[4]*dicha prenda*—the aforesaid article of clothing
[5]*con temor*—fearfully; *temer*—to fear
[6]*premio*—prize; *premiar*—to reward
[7]*hecha pedazos*—cut into pieces
[8]*la hora de la comida*—dinnertime
[9]*mente*—mind
[10]*se . . . luz*—light came

[11]*fondo*—depth
[12]*íbamos . . . muchachos*—we boys . . . used to. go
[13]*ya . . . ya*—now . . . now
[14]*con afán*—anxiously, solicitously
[15]*asistir (a)*—to attend
[16]*nos veíamos*—we saw each other
[17]*menos que*—less (important) than

[c] *suela*—sole   [d] *Sor*—Sister   [e] *ortografía*—spelling

ocasión para hacer llegar a sus manos la carta, y la muchacha me premió[6] a poco en la iglesia, donde oíamos misa con una mirada entre medrosa y sonriente,[18] la mirada de una niña de diez años que interroga a un hombrecillo de doce acerca de[19] todo lo que hay de lejano, inmenso y vago en la atracción de los sexos . . .

Satisfecho de[20] mi hazaña,[f] aguardé[21] la respuesta y, a decir verdad, pocos días bastaron para hacerme olvidar esa aventura. En aquel tiempo me interesaba jugar con mis compañeros, tirar piedras al agua desde la orilla[22] del río, o descubrir un nido[23] de pájaros, más que otra cosa. Momentos después, estaba yo delante del Director. A una señal, el Prefecto nos dejó solos, y volvió a pocos instantes[24] trayendo a mi "novia",[25] para salir otra vez de la habitación. Miré a la niña y pude leer en sus ojos el más grande horror, y sentí[26] que estábamos perdidos. Entretanto el Director continuaba con sus ojos en las páginas[27] del libro. Al fin levantó la cabeza:

— Conque usted, señor Suárez, y usted, señora Iriarte, son novios. (*Silencio mortal.*) Conque usted, señor Suárez, quiere a la señorita Iriarte, ¡y se permite dirigirle cartas de amor! (*Nuevo silencio.*) Debo advertirle, en primer lugar, que *querer* se escribe con "qu" y no *cerèr* como usted ha puesto; y, en segundo lugar, que, puesto que ustedes se quieren con la letra "ce", he resuelto[28] llamar al cura y él ha de casarlos (con "ce" también), ¿estamos?[29]

[18]*entre . . . sonriente*—half fearful, half smiling (cf. *miedo*—fear; *sonreír*—to smile)
[19]*acerca de*—about (concerning)
[20]*Satisfecho de*—Satisfied with
[21]*aguardar*—to await, wait for
[22]*orilla*—bank, shore
[23]*nido*—nest

[24]*a pocos instantes* (cf. *a poco*)—a few moments later
[25]*novia*—"girl friend"
[26]*sentir* (followed by ind.)—to feel (become aware)
[27]*página*—page
[28]*resolver, -se a*—to decide
[29]*¿estamos?*—(are we) agreed?

[f] *hazaña*—deed

¡Así, pues, la "realidad" era más terrible aún de lo que[30] yo me la había imaginado! Concha, que desde las primeras palabras del Director trataba de contener sus lágrimas, se echó a llorar, y yo no tardé en imitarla.[31]

5   ¡Casarme! ¿Y qué iba a decir mi madre cuando lo supiera?[32]

Y Concha, que no disponía de[33] más lógica que yo, se atrevió por fin a exclamar:

— ¡Yo no quiero casarme, yo no quiero casarme! ¡No, no señor; ya no lo vuelvo a hacer![34]

10   Y yo a coro:

— ¡Ya no lo vuelvo a hacer!

Por fin el Director pareció ablandarse:[35]

— Está bien — dijo; — no se van a casar; pero con una condición ... Y es que cada uno de ustedes recibirá seis palmetazos.[g]

15   Tomó la palmeta[g] y se dirigió a Concha:

— Extienda usted la mano; a usted primero.

La niña iba a extender la mano, pero el viejo Quijote[36] de la raza, que se hallaba medio dormido en mi sangre, me hizo exclamar con valor:

— Señor, ¡deme usted a mí los doce!

20   El Director me miró algunos instantes, y yo, desafiando[h] su mirada, repetí:

— Deme usted a mí los doce.

— No me opongo[37] — dijo con voz fría; — extienda la mano ...

En el silencio de la habitación resonaban secamente los palmetazos.

[30]*de lo que*—than
[31]*no . . . imitarla*—I was not late in, i. e., I soon imitated her
[32]*lo supiera*—she would find it out (imp. subjve. of *saber*)
[33]*disponer*—to make ready; *disponer de* —to have (at one's disposal)

[34]*ya . . . hacer*—I won't ever do it again (*ya no, no ya*—no longer)
[35]*blando*—soft; *ablandarse*—to soften
[36]*Quijote*—See Vocabulary
[37]*oponerse (a)*—to be opposed, object

[g] *palmetazo*—blow with *palmeta* ('ferule', 'ruler')   [h] *desafiar*—to defy

La niña no lloraba ya.[34] Me miraba, me miraba con sus inmensos ojos verdes, en que había todo lo profundo del mar, y su mirada era un premio superior a mi castigo.

Cuando salí a la plazuela,[i] seguido del Prefecto, entre las hojas de un árbol dos pájaros cantaban juntos una dulce canción de amor, y yo, indicándoselos al Prefecto, murmuré con malicia: 5

— ¿Por qué no les pegan a ésos?[38]

[38]*¿Por qué . . . ésos?*—Why don't they give them a beating? (*ésos=esos pájaros*)

[i] *plazuela*—small plaza

CAPÍTULO DOCE

Sábado sin sol (1)

The title alludes to the proverb *ni sábado sin sol ni moza sin amor*. The playlet was adapted from the celebrated playwrights, the brothers Serafín Álvarez Quintero (1871–1938) and Joaquín Álvarez Quintero (1873–1944).

60

PERSONAJES

FLORITA	ESTANISLAO
MORALES	WENCESLAO
PATIÑO	JOSÉ CAMPO

Puerta de la casa de Florita en un pueblo andaluz.[a] *Tan bonita es Florita que parece mentira que no tenga*[1] *novio. Se asoma a la puerta, mira a un lado y a otro, y suspira al ver la calle sin galanes.*[2] *Se abanica.*[b] *Canta una canción y vuelve a suspirar.*

FLORITA. — Bueno; y ahora a sacar una silla y a sentarme un rato. A ver si pasa alguien. (*Entra en la casa y, a poco, vuelve arrastrando una silla en la que se sienta.*) A mí me engaña el espejo:[3] No puede ser otra cosa. (*De repente sale*[4] *Morales.*) ¡Buenas tardes, Morales! ¿Adónde vas tan de prisa?[5]

MORALES. — ¿Ha pasado por aquí[6] Filomena?

FLORITA. — Si ha pasado, yo no la he visto. ¿Vas a buscarla?

MORALES. — A buscarla voy . . . Adiós. (*Vase.*)

FLORITA. — ¡Que la encuentres pronto! . . .[7] ¡Esto es lo que a mí me da rabia![8] ¡Porque hay que ver[9] a Filomena! (*Mirando hacia la izquierda.*) ¡Hombre! ¡Agustín Patiño! ¿Si habrá reñido con aquella visión?[10] Es raro que venga[1] por mi calle. Sacaré otra silla por si acaso.[11] (*Saca otra*

[1] *tenga, venga*—Note subjve.

[2] *galán*—(gallant) young man, fop

[3] *espejo*—mirror

[4] *De repente sale*—(Morales) suddenly comes out; *salir* (in stage directions)—to appear, come out (on the stage)

[5] *tan de prisa*—in such a hurry

[6] *por aquí*—around here, this way

[7] *¡Que . . . pronto!*—I hope you find her soon (subjve. of wish)

[8] *dar rabia*—to enrage, make furious

[9] *hay que ver*—it is necessary, *i. e.*, you ought to see

[10] *¿Si . . . visión?*—I wonder if he has quarrelled with that "sight" (ugly creature)?; *¿Qué les darán . . . ?*—What can (some women) be giving, I wonder what (some women) give . . . ?

[11] *acaso*—perhaps; *por si acaso*—just in case

[a] *andaluz*—Andalusian   [b] *abanicar*—to fan

silla. Llega Patiño pero no se fija en[12] *Florita*.) Buenas tardes, Patiño. Milagro es[13] verle. ¿Qué se le ha perdido[14] por mi calle?

PATIÑO. — ¿Pero ésta es su calle de usted? No me había fijado.[12] Los pies me llevaban.

FLORITA. — ¿Al sitio de siempre?[15]

PATIÑO. — Por lo visto no saben ir a otro lado.[16] Estoy trincado.[c] Y todos me predican lo mismo. Mi madre, en cuanto me ve: "Agustinillo, que[17] esa mujer es una loca." "Madre, estoy trincado". Mi padre: "Agustín, que esa mujer es un monstruo". "Padre, estoy trincado". Mi mejor amigo Julio, en cuanto tropieza conmigo:[18] "Agustín, que esa chica no vale nada". "Julio, estoy trincado". Y es una loca y es un monstruo y es cierto que no vale nada, ¡pero estoy trincado!

FLORITA. — ¡Ay, Dios mío! ¿Que les darán[10] algunas mujeres a los hombres? Iría en seguida a comprar una botellita . . .[d] ¿Y por qué no rompe[19] usted con ella? En el pueblo hay otras muchachas, y de más mérito, y una de ellas no anda lejos.

PATIÑO. — ¿Lo dice usted por[20] Filomena?

FLORITA. — No . . . es decir, sí.

PATIÑO. — ¿Para qué voy a fijarme en ella, si estoy trincado? Adiós.

FLORITA. — Adiós.

PATIÑO. — ¿Lo ve usted? Los pies solos me llevan. Uno detrás de otro. Nada, que[17] estoy trincado. (*Vase*.)

FLORITA. — ¡Tonto! ¡Animal! ¡Cuando una se da cuenta de lo poquito que valen los hombres,[21] le da más rabia todavía que le

---

[12]*fijarse (en)*—to notice

[13]*Milagro es*—it's a miracle, *i. e.*, it's unusual

[14]*¿Qué . . . perdido?*—What has been lost to you, *i. e.*, what have you lost?

[15]*¿Al . . . siempre?*—To the usual place?

[16]*a otro lado*—elsewhere

[17]*que*—I tell you that (cf. Ch. 9, fn. 5)

[18]*tropezar con*—to stumble over, come across, meet

[19]*romper*—to break, to tear

[20]*por*—because of, *i. e.*, referring to

[21]*lo . . . hombres*—how very little men are worth, *i. e.*, how worthless men are (cf. Ch. 8, fn. 16)

[c] *trincado*—trapped   [d] *botellita*—little bottle

gusten[22] tanto! ¡Pero ahí vienen Wenceslao y Estanislao! Sacaré otra silla por si acaso. (*Cantando lo de antes,*[23] *vuelve a entrar en su casa y saca otra silla. Sale Estanislao despidiéndose de Wenceslao que no aparece.*) ¡Vaya! Ya está de más[24] la silla de Wenceslao. La dejaré para el sombrero de Estanislao . . . Buenas tardes, Estanislao. ¿Cómo está?   *5*

ESTANISLAO. — Aburrido.[25]

FLORITA. — ¿Aburrido? Siéntese usted aquí un rato. (*Estanislao se sienta.*) ¿Qué cuenta?[26] (*Estanislao se encoge*[27] *de hombros.*) ¿Adónde iba? (*Vuelve a encogerse de hombros.*) ¿Trabaja mucho? (*El mismo ademán.*)[e] Oiga, ¿es que le pica la espalda?[28]   *10*

ESTANISLAO. — Es que estoy sin pena ni gloria.[29]

FLORITA. — ¿Hasta la noche, no? . . . Porque sé que pasa usted todas las noches en el teatro.

ESTANISLAO. — Me distraigo[f] oyendo cantar. La Pinturerita,[g] ésa que está ahí ahora, canta muy bien.   *15*

FLORITA. — ¿Y por qué no busca otras distracciones?

ESTANISLAO. — No sé qué distracciones voy a buscar.

FLORITA. — Las más naturales en un muchacho. Échese una novia.[30]

---

[22]*le gusten*—she should like them (subjve. after verb of emotion)

[23]*lo de antes*—that of before, *i. e.*, the previous song

[24]*estar de más*—to be unnecessary

[25]*aburrir*—to bore

[26]*¿Qué cuenta?*—What do you tell? *i. e.*, what is the news?

[27]*encogerse*—to shrink, shrug (one's shoulders)

[28]*Oiga . . . espalda?*—Listen, does your shoulder itch?; *picar*—to sting, prick, peck; bite (of fish); burn (of the sun); *¿es que . . .?*—is it because . . . ?

[29]*estoy . . . gloria*—I am without sorrow or pleasure, *i. e.*, nothing matters to me

[30]*échese una novia* (colloquial)—get yourself a girl friend

[e] *ademán*—gesture   [f] *distraerse*—to distract oneself, pass the time   [g] *La Pinturerita*—The def. art. is used with nicknames as well as other given names in familiar reference. The present nickname suggests the word *pinturero, -a* (person affecting ridiculous elegance).

ESTANISLAO. — ¿Una novia? ¿Para qué?

FLORITA. — Para lo que son las novias. ¡Para casarse con ellas!

ESTANISLAO. — ¿De dónde voy a sacar el dinero? Por eso soy al revés de[h] los otros muchachos. Si a los otros les gusta una muchacha, la buscan; y yo, en cuanto una muchacha me gusta, le huyo.

FLORITA. — ¿Le huye? . . . ¿Entonces yo no le gusto ni esto?[31]

ESTANISLAO. — Mujer, ahora no se trata de que usted me guste.[32] Estamos hablando de las cosas, y le digo que no me puedo casar.

---

[31]*¿Entonces . . . esto?*—Then you don't like me even this much? (She makes some deprecatory gesture, such as touching the tip of a fingernail as she says *esto.*)

[32]*no . . . guste*—It isn't a question of my liking you (cf. fn. 1 in this Ch.)

[h] *al revés de*—the opposite, different from

CAPÍTULO TRECE

Sábado sin sol (II)

FLORITA — Pero si[1] no puede resistir los encantos de la Pinturerita.

ESTANISLAO. — A la Pinturerita le huyo más que a todas.[2]

FLORITA. — ¿Que[3] le huye usted, y asiste a sus representaciones todas las noches?

ESTANISLAO. — Porque está el tablado de por medio.[4] Le huyo más ⁵ de lo que piensa usted. Si no me puedo casar. ¿De dónde voy a sacar el dinero, con el familión que tengo encima?[5] ¡No puedo casarme!

FLORITA. — Ya, ya lo he oído. Y le advierto que yo tampoco me puedo casar. Pero le advierto también que sé cantar todo lo que canta la Pinturerita. Y más y mejor. Sólo que nadie se ha fijado en mi ¹⁰ habilidad.[6] Si quiere convencerse, escuche y compare luego.

ESTANISLAO. — Vamos a ver. (*Florita canta una canción.*) Me voy. (*Se levanta decidido.*)

FLORITA. — ¿Que[3] se va? ¿Pero no le ha gustado?

ESTANISLAO. — Me ha gustado tanto que me voy. Si no me puedo ¹⁵ casar. Y aquí no hay tablado por medio.[4] ¡No sabía yo que tenía usted tanto talento! ¿Cuándo piensas tú que he de volver por esta calle?

---

[1] *si* (or *pero si*) is often used conversationally with the meaning of 'but', 'why', etc.

[2] *a todas*—all (the other girls)

[3] *Que* (=¿*Dice Vd. que* . . . ?)—Attention will not again be called to this point (cf. Ch. 12, fn. 17)

[4] *tablado (de) por medio*—stage between us

[5] *familión . . . encima*—large family I have on top, *i. e.*, on my shoulders

[6] *habilidad*—ability

FLORITA. — ¿Cuándo?

ESTANISLAO. Cuando tú te mudes.[7] (*Vase muy aprisa.*)

FLORITA. — ¡Qué tonto! Me desmayaría,[a] pero aquí no hay nadie . . .
(*De pronto, mirando hacia la izquierda.*) ¡Ah! Este hombre que viene
5 aquí tiene cara de[8] forastero.[b] ¡Y qué simpático![9] ¡Ay, a ver si se fija!
(*Se pasea*[10] *coquetonamente.*) Meteré dentro estas dos sillas, para que
no crea[11] que estoy esperando a alguien. Hay que proceder con mucho
tacto. (*Mete dentro las sillas y vuelve.*) ¡Ya me ha visto! ¡Ya viene
hacia acá! ¡Un flechazo, San Antonio![c]

10 CAMPO. (*Saliendo.*) — Niña, buenas tardes.

FLORITA. — Buenas tardes.

CAMPO. — ¿Quiere usted decirme si voy bien para[12] la calle de la
Muela?[d]

FLORITA. — Sí, pero sucede que ya no se llama así. Ahora se llama
15 Calle del Excelentísimo Señor Don Gumersindo Calasparra y Arroyo,
Marqués del Vallado.[e]

CAMPO. — ¡Caramba! Eso es un nombre para tres calles.

FLORITA. — Por fortuna es una calle larga, porque si no, no cabría
el letrero.[f] (*Se ríen los dos.*)

[7]*mudarse* (*de casa*)—to change (residences), to move
[8]*tener cara de*—to look like
[9]*simpático*—nice, fine, charming
[10]*pasearse*—to pace up and down, walk about

[11]*para . . . crea*—so that he won't think (subjve. of *creer* after *para que*)
[12]¿*Quiere . . . para . . .?*—Will you tell me if this is the way to . . .?

[a] *desmayarse*—to faint   [b] *forastero*—stranger   [c] ¡*Un . . . San Antonio!*—A stroke
of the arrow, *i. e.*, touch his heart, oh, St. Anthony!   [d] *Muela*—molar tooth (as
common noun)   [e] *Gumersindo . . . Vallado*—There is humorous intent in the choice
of the names in addition to that of their multiplicity. *Gumersindo* corresponds to
Hiram in American anecdotes; *Calasparra* was perhaps coined on *cala* (slicing of
a melon or other fruits) and *espárrago* (asparagus) or *parra* (vine); *Martínez* is as
common a name as Smith or Jones; *Arroyo* and *Vallado* have the respective
meanings of 'brook' or 'gutter' and 'stockade'.   [f] *letrero*—sign

CAMPO. — Pues, no me ha pasado esto nunca. Si[1] yo vengo a este pueblo todas las semanas y nunca me he perdido . . .

FLORITA. — Pues por esta calle, todo seguido,[13] llega usted a la plaza, se mete por un arco[14] que verá en frente, y la primera a la derecha aquélla es.[15]   *5*

CAMPO. — Ya, ya;[16] al salir del arco. Muchas gracias . . . ¿Me da usted[17] un fósforo,[g] niña? (*Indica el puro[18] que lleva en la mano.*)

FLORITA. — ¡Ya lo creo! Espere usted. (*Entra en su casa y vuelve luego.*) Tome usted; yesca,[h] fósforos, encendedor[i] moderno. A elegir.[19]

CAMPO. (*Sonriendo.*) — Sí que es usted[20] amable. ¿Tiene usted   *10* estanco[j] por casualidad?[21]

FLORITA. — Lo que tengo es familia: mi abuelo, mi padre y mi hermano. Cada uno de su tiempo.

CAMPO. — Pues encenderé con lo más nuevo.[22]

FLORITA. — Claro, como es usted joven . . .   *15*

CAMPO. — Favor que usted me hace . . .[23] ¿De manera que[24] todo seguido?

FLORITA. — Hasta dar con[25] el arco. (*Campo la mira sin ninguna gana de irse.*) No se puede usted perder.

---

[13]*todo seguido*—straight ahead

[14]*se . . . arco*—you will enter under an arch

[15]*aquélla es*—that is the one

[16]*Ya, ya*—I see, I see (cf. Ch. 9, fn. 25)

[17]*¿Me da Vd. . . . ?*—Will you give me . . . ?

[18]*puro*—pure; *m.* cigar

[19]*A elegir*—choose (Note inf. to express a command.)

[20]*Sí* (or *sí que*) *es Vd.*—You are indeed (cf. Ch. 5, fn. 48)

[21]*por casualidad*—by chance

[22]*lo más nuevo*—the newest (thing)

[23]*Favor . . . hace*—You flatter me

[24]*De manera que = conque*—so then

[25]*dar con*—hit upon, come to

[g] *fósforo*—match   [h] *yesca*—tinder   [i] *encendedor*—cigarette lighter   [j] *estanco*—tobacco shop (where other things of government monopoly are also sold, *e. g.,* matches, stamps, etc.)

CAMPO. — Pues yo hoy me alegro de haberme perdido, por encontrarla a usted.

FLORITA. — ¿De veras?[26]

CAMPO. — Y tan de veras.[26] Yo en este pueblo no he visto muchacha
5 más bonita y encantadora que usted.

FLORITA. — ¿Usted qué sabe?

CAMPO. — ¿No le he dicho que vengo todas las semanas? Sólo que
hasta hoy he venido siempre con mi mujer . . . Y no me ha dejado
fijarme mucho.

10 FLORITA. (*Como herida del rayo.*)[27] — ¿Con su mujer?

CAMPO. — Sí; yo soy casado y tengo ya siete hijos.

FLORITA. — ¿Siete?

CAMPO. — Siete.

FLORITA. — Bueno, pues como le dije, todo seguido . . .

15 CAMPO. — Sí, hasta dar con el arco. Buenas tardes y muchísimas
gracias. (*Se va de mala gana.*)

FLORITA. — No hay de qué . . .[28] (*Vase Campo.*) ¡Siete niños! ¡Ni
viudo me conviene! . . .[29] Y pensaba yo que esta tarde . . . ¡Ay! ¡No
está ia suerte para la que la busca![30] (*Mirando hacia la derecha.*)
20 ¿Música? Sí, música. (*Poco a poco la música se va percibiendo*[k] *más
claramente.*) ¡Y todos esos muchachos vienen hacia aquí! Ahora sí que
saco todas las sillas! (*Entra y sale, loca de alegría, y saca a la calle siete
u*[31] *ocho sillas, llevando con el cuerpo el son*[l] *de la música.*) ¡Vienen!

---

[26]*¿De veras?*—Really?; *tan de veras*—
so really, *i. e.*, really and truly,
you bet it's so

[27]*Como . . . rayo*—As if struck by a
thunderbolt

[28]*No hay de qué*—Don't mention it

[29]*¡Ni . . . conviene!*—Not even if he
were a widower would he suit me!

[30]*¡No . . . busca!*—Luck is not for the
one who seeks it, *i. e.*, luck shuns
those who chase after it.

[31]*u*—or (used before words beginning
with *o* or *ho*)

[k] *se va percibiendo*—is being heard   [l] *llevar . . . el son* (de)—to keep time to the

¿Seré tan desgraciada que no repare en[32] mí ninguno?... ¿Pero qué es eso? ¿Se van por otro camino? (*La música, en efecto, principia a alejarse.*) Sí, se van... se van... (*Mirando tristemente a sus sillas.*) ¡Digo! ¡Y esto parece un desahucio![m] ¡Ay, Dios mío! (*Se pone a retirar, suspirando a menudo, todas las sillas que sacó. Cuando ya apenas se percibe la música y no queda más que la primera silla, Florita se deja caer[33] en ella y exclama haciendo pucheritos:*)[n] ¡Ay!... ¡Sábado sin sol!

5

TELÓN

---

[32]*reparar en*—to notice, pay attention to   [33]*dejarse caer*—to let oneself fall, *i. e.,* to drop

[m] *desahucio*—dispossession (of a tenant)   [n] *hacer pucheritos*—to pout

CAPÍTULO CATORCE

El ladrón[1] de besos (I)

The Kiss-Snatcher. Adapted from the Quintero brothers. (See headnote on p. 60.)

[1]*ladrón*—thief

PERSONAJES

REGLITA, *hija de don Isidoro*   CALICHE,[a] *vendedor de libros, etc.*
MANOLA, *su vecina*   DON ISIDORO

REGLITA. — ¿Tú has visto una cosa más triste que pasar una semana sin dinero, Manola?

MANOLA. — Sí, Reglita; más triste es pasar un mes.

REGLITA. (*Suspirando.*) — ¡Ay! ¡Dichoso[2] dinero! ¡Cuántas cosas arregla . . . y desarregla[3] en este mundo.   5

MANOLA. — Yo creo que arregla más que desarregla. Por ejemplo, esta tarde ¡con qué gusto veríamos alguna película[4] en el cine, si tuviéramos[5] dinero para ello.

REGLITA. — Hoy dan por última vez esa película tan célebre de "El ladrón de besos", y voy a quedarme sin verla.   10

MANOLA. — ¡Ay, "El ladrón de besos"! ¡Es verdad! Yo también quisiera[6] verla. Dicen que es preciosa. Pero, ¿de dónde sacar el dinero? He aquí la cuestión.[7]

REGLITA. — ¿Por qué no bajas y le pides cuatro pesetas a tu madre?

MANOLA. — ¿A mi madre? Ya me ha dicho antes que no tenía ni   15
una peseta. ¿Y tu padre, no nos las daría?

REGLITA. — Es que[8] ya se ha ido y no volverá hasta la noche. (*De fuera llega, de repente, la voz de Caliche pregonando:*[b] ¡Sombreros,

---

[2]*dichoso*—lucky, happy; (here) confounded

[3]*arreglar*—to arrange, fix; *desarreglar*—to disarrange, upset

[4]*película*—film

[5]*si tuviéramos*—if we had (imp. subjve. [of *tener*] to express a condition contrary to fact)

[6]*quisiera*—should (would) like (imp. subjve. of *querer*)

[7]*He . . . cuestión*—There is the problem (Distinguish *cuestión* from *pregunta.*)

[8]*Es que*—The point (thing) is

---

[a] *Caliche* (as common noun)—crust of lime   [b] *pregonar*—to hawk

muebles,[c] libros . . . y los paraguas[d] que quieren vender!) ¿Has oído, Manola? (*Da un salto[9] de alegría.*)

MANOLA. — ¡Caliche! ¿Es que tienes algo que venderle, quizás?

REGLITA. — Sí, por eso me alegro. (*Se asoma al balcón y grita:*)

5　¡Caliche! ¡Caliche! Suba usted un momento.

MANOLA. — A ver si tenemos la suerte de sacarle[10] para el cine. Pero ¡qué cosas hace la casualidad! (*Llega Caliche; trae, sobre el suyo, dos o tres sombreros, un par de paraguas inútiles al brazo, y al hombro, unas alforjas[e] con algunos libros.*)

10　CALICHE. — Buenas tardes. Vamos a ver qué tesoros[11] son los que quiere usted venderme. Si me van ustedes a vender los ojos, les advierto que me falta dinero suficiente para pagárselos.

REGLITA. — Pues esté usted tranquilo, que no son los ojos. Porque usted no pregona tampoco[12] que compra ojos.

15　CALICHE. — Pero compro libros; y ¿dónde habrá[13] libros más bonitos que los ojos de una mujer? (*Se ríen los tres.*)

REGLITA. — Voy yo por las cosas. (*Se entra por la puerta de la izquierda.*)

CALICHE. — Yo juraría que en esta casa he visto los cuatro ojos

20　más lindos de España.

MANOLA. — No se entusiasme usted demasiado, que se le van a caer[14] los sombreros.

CALICHE. — ¡Mientras no se me caigan[14] los párpados![f] . . . Sin em-

---

[9]*salto*—jump
[10]*sacarle*—to get out of him (enough)
[11]*tesoro*—treasure
[12]*Vd. . . . tampoco*—neither do you hawk
[13]*habrá*—can there be, I wonder (where) there are

[14]*se le van a caer*—you are going to drop; *Mientras . . . caigan*—as long as I don't drop, as long as (my eyelids) stay open (and I can look at you)

[c] *muebles*—furniture　　[d] *paraguas*—umbrella(s)　　[e] *unas alforjas*—a saddlebag, a pair of sacks hanging across the shoulder (one in front, one behind)　　[f] *párpado*—eyelid

bargo, con su permiso dejaré en el suelo toda la mercancía[g] para hacer el trato[15] más cómodamente.[16] (*Suelta*[17] *cuanto trae encima; vuelve Reglita con una chistera*[h] *sin tapa.*)[i]

REGLITA. — Vamos a ver, Caliche. ¿Qué me da usted por esto?

CALICHE. (*Tomándola en la mano.*) — ¿Por esto? Y esto ¿qué es?   *5*

REGLITA. — ¡Una chistera! ¿No la está usted viendo? Le pone usted una tapa y queda como nueva.[18] No la desprecie[19] usted. Se usa mucho en los entierros.[20]

CALICHE. — En tiempos pasados, sí; pero si un individuo se pone esto en un entierro ahora, hasta el muerto se ríe de él.   *10*

MANOLA. — (¡Jesús, por lo visto nos quedamos sin[21] cine!)

CALICHE. — ¿No tiene usted otra cosa que vender?

REGLITA. — Espere usted un momento. Voy a traerle una silla. (*Vase a otro cuarto.*)

MANOLA. — Vamos, Caliche; no vaya usted a tratar la silla con el   *15* desprecio con que trató la chistera. Hay que tener un poco de bondad, un poco de conciencia, esa voz interior que es nuestro juez más severo y duro. Recuerde usted lo que dice Campoamor:*

> La conciencia a los culpados[22]
> castiga tan pronto y bien,   *20*
> que hay muy pocos que no estén
> dentro de su pecho[23] ahorcados.[j]

[15]*trato*—deal
[16]*cómodamente*—comfortably
[17]*soltar*—to loosen, let go of
[18]*Le . . . nueva*—If you put a top on it, it will be like new (Note this conditional type of sentence used colloquially.)
[19]*despreciar*—to scorn
[20]*entierro*—burial, *i. e.*, funeral

[21]*nos quedamos sin*—we are left without, *i. e.*, we are not going to the (Parentheses around a speech indicate that it is an aside.)
[22]*culpado*—guilty
[23]*que . . . pecho*—who are not within their bosoms, *i. e.*, who do not feel in their hearts (that they deserve to be)

[g] *mercancía*—merchandise   [h] *chistera*—silk hat   [i] *tapa*—cover, top   [j] *ahorcado*—hanged

* Ramón de Campoamor (1819-1901), Spanish poet who enjoyed great popularity in the Hispanic world.

CALICHE. — La vida es dura, y yo no hago más que[24] procurar ganarme decentemente unos cuantos[25] duros:

> Pero la vida es corta;
> viviendo todo falta,
> muriendo todo sobra.

Lo dijo el gran Lope.* Yo también conozco a los autores. Y en cuanto a la conciencia, tanta conciencia tiene que haber[26] en el vendedor como en el comprador. (*Reglita trae una silla con el asiento roto[27] y una pata*[k] *de menos.*)[28]

REGLITA. — Aquí tiene usted.

MANOLA. — (¡Ay, Dios mío! ¡No habrá cine, no, señor!)

CALICHE. — (*Echándose a reír.*) — Ja, ja, ja.

REGLITA. — ¿De qué se ríe usted, de la silla? Pues no le falta más que una pata. En serio, ¿qué me da usted por las dos cosas?

CALICHE. — La enhorabuena, si me las llevo. Y eso, por ser usted,[29] que[30] en otra casa tendrían que darme a mí dinero encima.[31]

REGLITA. — ¡Sí que es usted un hombre sin conciencia!

CALICHE. — ¿Quién sabe, niña? Según Samaniego:†

> En una alforja[l] al hombro
> llevo los vicios;

---

[24]*no . . . que*—I do no more than, *i. e.*, I only (endeavor, try)
[25]*unos cuantos*—a few
[26]*tiene que haber*—there must be
[27]*asiento roto*—seat broken
[28]*de menos*—missing
[29]*por ser Vd.*—because it's you
[30]*que*—for, because
[31]*encima*—on top, *i. e.*, in addition

[k] *pata*—leg (of furniture) [l] *alforja*—see fn. e in this lesson.

* Lope Félix de Vega Carpio (1562–1635), celebrated Spanish playwright of the 17th century, a most prolific genius reputed to have produced more than two thousand works.

† Félix María Samaniego (1745–1801), one of the two principal fabulists of Spain.

los ajenos, delante;

detrás los míos.

Esto hacen todos:

así ven los ajenos,

mas[32] no los propios.   *5*

El negocio[33] es el negocio, niña. Bueno, yo le daré por la silla rota, si me añade[34] algunos libros de su papá . . .

REGLITA. — Para eso, venga usted cuando él esté en casa.

CALICHE. — Si digo[35] de los muchos, llenos de polvo,[36] que él tiene en el desván,[m] que ni siquiera se acuerda de ellos.   *10*

MANOLA. — ¿Tiene tu padre libros en el desván?

REGLITA. — Por supuesto. En todas partes tiene mi padre libros. Pero si le[37] vendo uno y se entera, me mata.

CALICHE. — ¿Y quién va a contárselo?

REGLITA. — Pero ¿usted cree que no había de echarlo de menos?[38]   *15*

CALICHE. — De esos del desván, estoy seguro de que no.

MANOLA. — Dice bien el hombre. Puedes venderle algunos. Si se entera tu padre . . . ¡el libro se ha perdido en una mudanza![39] Acuérdate de "El ladrón de besos".

REGLITA. — ¡Ay, "El ladrón de besos"! (*Resolviéndose.*) Aguarde   *20* usted, Caliche. (*Vase.*)

---

[32]*mas*—but (most often found in poetry)

[33]*negocio*—business

[34]*añadir*—to add

[35]*Si digo*—But I mean

[36]*polvo*—dust

[37]*le*—untranslatable dative of advantage or disadvantage

[38]*echar de menos*—to miss (distinguish from *perder el tren* and *faltar a una clase*)

[39]*mudanza*—change of residences, moving; cf. *mudarse*

[m] *desván*—garret

CAPÍTULO QUINCE

El ladrón de besos (II)

CALICHE. — He insistido, porque me ha parecido que entre las dos[1] buscarán ustedes un duro para ir a ver esa película que han nombrado.

MANOLA. — Exactamente.

CALICHE. — Pues no deben ustedes dejar de[2] verla: es una verdadera
5 preciosidad. "¡El ladrón de besos!" Se aprende mucho.

MANOLA. (*Asustada*[3] *de pronto.*) — ¡Ay, Dios mío! ¡El padre de Reglita! ¡Virgen santísima!

CALICHE. — ¡Jesús! (*En efecto, llega don Isidoro.*)

DON ISIDORO. — ¿Quién ha dejado la puerta abierta?... ¡Hola,
10 vecinita! ¡Hola, Caliche! ¿Qué haces tú por aquí? (*Vuelve Reglita con algunos libros, viejos y llenos de polvo, que trata de ocultar*[4] *al ver allí a su padre.*)

REGLITA. — (*Espantada.*) — ¡Ay!

DON ISIDORO. — ¿Qué te pasa? ¿Por qué te asustas?

15 REGLITA. — (*Confundida.*) — Porque . . . Porque como me dijiste que hasta la noche no vendrías . . .

DON ISIDORO. — ¿Y qué traes ahí? A ver, a ver . . . ¡Vamos! Ya me doy cuenta. ¿Ibas a venderle esos libros a Caliche? Tú sabes muy bien, Caliche, que yo no vendo libros: lo que hago es comprar todos los que
20 puedo.

[1]*entre las dos*—between the two (of you)
[2]*no . . . de*—you mustn't fail (to)
[3]*asustar*—to frighten
[4]*ocultar*—to hide, conceal

76

CALICHE. — Pues mire usted. A propósito, yo traigo en las alforjas varios de substancia: novelas, comedias y cuentos de gran valor, las mejores obras literarias.

DON ISIDORO. — Vamos a dejarlo para otra vez. Ahora tengo que predicarle a mi hija un sermoncito.[5]

CALICHE. — Entonces aquí hay uno que está de más.[6] No es menos conveniente saber callar que saber hablar.[7] Buenas tardes.

DON ISIDORO. — Adiós. (*Vase Caliche.*) Reglita, porque está delante tu amiguita, y comprendo que es algo cómplice[8] en este *crimen* que ibas a cometer, no te riño[9] más duramente.[10]

REGLITA. — Yo pensé que los libros del desván . . .

DON ISIDORO. — Los del desván están allí porque no tengo otro sitio donde tenerlos. Pero, además, no olvides tú que los libros son amigos eternos, estén donde estén.[11] Te pasas un año, dos, sin necesitar de algunos de ellos; casi ni te acuerdas de que existen . . . Pero de pronto te hace falta el amigo, y entonces lo buscas . . . y lo encuentras. Vender un libro que te entretuvo[12] algún día, es como traicionar[a] a un amigo bueno y hacerse daño a sí mismo.[13] Yo sé bien, y quiero que lo aprendas tú, que quien[14] ama los libros nunca está ya[15] solo en la vida. Un hombre, una mujer, pueden engañarte alguna vez; un libro, no sólo no te engaña nunca, sino que acierta a[16] consolarte siempre. Una casa sin mujer es triste, porque faltan en ella el calor y la luz del amor; sin

[5]*predicar . . . un sermoncito*—to preach a little sermon

[6]*estar de más*—to be unnecessary, not be needed

[7]*No . . . hablar*—It is no less wise to know how to keep silent than to know how to talk

[8]*algo (cómplice)*—somewhat (of an accomplice)

[9]*reñir*—to quarrel, scold

[10]*duro*—hard; *fig.* severe

[11]*estén donde estén*—be they where they may be, wherever they are

[12]*entretener*—to entertain

[13]*hacerse . . . mismo*—to hurt oneself

[14]*quien*—he who, one who

[15]*nunca . . . ya*—no longer . . . ever (cf. *ya no, no ya*)

[16]*acertar*—to hit the mark; *- a* to succeed in, happen to

[a] *traicionar*—to betray

niños lo es[17] también, porque falta la esperanza; pero no es menos triste una casa sin libros, porque los libros son el espíritu de los demás educando el nuestro; la colaboración, en el vivir,[18] de las almas ajenas superiores. Quevedo,* desde su prisión, dijo:

5
> Retirado en la paz de estos desiertos,
> con pocos pero doctos[b] libros juntos,
> vivo en conversación con los difuntos[19]
> y escucho con mis ojos a los muertos.

Y Amado Nervo,† en una poesía en que exalta el alto valor de los
10 libros, dice:

> Libros que sois una ala[20] (Amor la otra)
> de las dos que el anhelo[21] necesita
> para llegar a la Verdad sín mancha . . .

(*Reglita se echa a llorar, y Manola no tarda en imitarla.*)[22] ¿Qué es eso?
15 ¿Vas a llorar ahora? No llores, no. Ni tú tampoco, Manolita.

REGLITA. — Te advierto que ha tenido la culpa Caliche.

MANOLA. — ¡Es verdad! ¡Caliche, Caliche ha tenido la culpa!

DON ISIDORO. — ¡Por supuesto! Siempre tiene la culpa el que se ha ido. No cabe duda. La ausencia es peligrosa a veces. Pero, vamos, ¿para
20 qué queríais vender estos libros míos?

REGLITA. — Para ir al cine, papá.

---

[17]*lo es*—is so (*lo* refers to *triste*)

[18]*el vivir*—living (common use of def. art.+inf. to express a verbal noun: *El comer demasiado es un vicio.*)

[19]*difunto*—deceased, dead

[20]*que . . . ala*—(you) who are one wing

[21]*anhelo*—vehement yearning

[22]*no tarda en* (*imitar*)—does not delay in (imitating), *i. e.*, soon (imitates)

[b] *docto*—learned

* Francisco Gómez de Quevedo y Villegas (1580–1645) is the brilliant Spanish satirist of the Spanish Golden Age whose *El buscón* is very important in the Picaresque Novel.

† Amado Nervo—See headnote on p. 55.

DON ISIDORO. — Está bien. El cine es un libro abierto a los ojos de las generaciones actuales.[23] Algunas veces refleja[c] bellas novelas e instructivas páginas de Geografía e Historia. ¿Qué película queríais ver hoy? (*Se miran las amigas como consultándose.*)[24]

REGLITA. (*Exclamando de repente.*) — "El burlador de Sevilla".*   5

DON ISIDORO. (*Con satisfacción.*) — ¡Ah! ¡"El burlador de Sevilla", la comedia de Tirso de Molina, el gran genio del Siglo de Oro. ¡Magnífico! Una película de tal obra entra en la categoría de los buenos libros. Yo os convido;[25] yo os llevo a verla, y será un gran placer para mí.   10

REGLITA. — ¡Papá!

MANOLA. — ¡Don Isidoro!

DON ISIDORO. — De buena gana yo os llevaré. Pero habéis de jurarme siempre tratar los libros con cariño, los libros buenos, se entiende; porque para mí los libros malos no significan nada, y hay que evitarlos   15 como a los compañeros malos. (*Vase al otro cuarto.*)

MANOLA. — Pero ¿qué dirá tu papá cuando . . .?

REGLITA. — Luego le diremos que han cambiado la película por "El ladrón de besos", aunque en realidad[26] no hay necesidad de esta mentira, porque en efecto un ladrón de besos será un don Juan Tenorio†   20 de la época[27] actual.

TELÓN

[23]*actual*—present (-day)
[24]*como consultándose = como si se consultasen*—as if they were consulting each other

[25]*convidar*—to invite
[26]*en realidad*—actually
[27]*época*—epoch, period

[c] *reflejar*—to reflect

* *El burlador de Sevilla y convidado de piedra* ('*The Mocker of Seville and Guest of Stone*'). Tirso de Molina (1571–1648) created in this play one of the best-known characters of world literature, Don Juan Tenorio.

† See preceding note.

CAPÍTULO DIECISÉIS

Las solteronas (1)

The Old Maids. Adapted from Luis Cocat and Heliodoro Criado who, as the last quarter of the 19th century was beginning, produced a number of popular farces, in collaboration or independently.

PERSONAJES

PROCOPIO	PURA
SANDALIA	CASTA
CLAUDIO	

La escena representa una sala con muebles de precio muy alto pero de gusto vulgar. Al levantarse el telón, Procopio está sentado a la mesa escribiendo; Sandalia, haciendo calceta,[a] y Pura, leyendo en un devocionario,[b] están sentadas junto a la ventana del fondo.[1] Casta, sentada en un sillón cómodo, lee un periódico. 5

PROCOPIO. (*Levantándose de repente y contemplando a las mujeres.*) Bien, perfectamente bien. He aquí un cuadro de familia en que todo respira[2] felicidad y paz. Sin embargo, ¡esto no puede seguir así!

SANDALIA. — ¡Hombre! ¿Te disgusta ver a tu familia feliz? 10

PROCOPIO. — Me disgusta mucho el que[3] mis hijas estén solteras,[c] y te toca a ti[4] apoyarme[5] cuando trato de animarlas a casarse. Al defenderlas eres su peor enemiga. En adelante,[6] es necesario que piensen seriamente en el matrimonio. Nunca llegarán a celebrar sus bodas[7] de plata, si no se casan muy pronto. Tú, Casta, tienes ya veinte y nueve años; 15 y tú, Pura, treinta.

SANDALIA. — Pero, ¿a qué viene[8] hablar de edades? ¿Tienen la culpa las pobres[9] de que sus novios hayan dado media vuelta?[10]

---

[1]*fondo*—depth, bottom, background
[2]*respirar*—to breathe
[3]*el que*—the fact that
[4]*te . . . ti*—it falls to your lot, *i. e.*, it's up to you
[5]*apoyar*—to support, aid
[6]*en adelante* (*de hoy en -, de aquí en -*)— henceforth, from now on

[7]*bodas* (*de plata*)—(silver) wedding(s). (The pl. (*bodas*) is used more often than the sg. for 'wedding'.)
[8]*¿a qué viene . . . ?*—(Freely) What's the use of?
[9]*las pobres*—the poor (girls)
[10]*hayan . . . vuelta*—have made a half turn, *i. e.*, an about-face

[a] *hacer calceta*—to knit   [b] *devocionario*—prayer book   [c] *soltero*—single, unwed

PROCOPIO. — Puede que sí.[11] Si las mujeres tuvieran[12] un poco más de sentido práctico, no se quedarían tantas solteronas. A los dieciséis años,[13] la mayor parte de las niñas sueñan con[14] casarse con un banquero o con un poeta. A los treinta,[13] todos los hombres deben

5   serles igualmente simpáticos y agradables . . . ¡Estoy desesperado! ¿Ves? (*Haciendo contorsiones con los brazos.*) ¡Tengo los nervios como las cuerdas de un violín! ¡Ven y hazme una taza de café para calmarlos!

SANDALIA. — Vamos allá. Siempre has tenido mal genio,[15] y lo que es hoy,[16] parece que tienes el diablo en el cuerpo. (*Vanse.*)

10   CASTA. — No sé por qué papá se empeña[17] tanto en que seamos[18] víctimas de esos malvados.[d]

PURA. — ¡Pues bonitos son los hombres! ¡Qué asco son![19] (*Aparece Claudio en la puerta de la derecha.*)

CLAUDIO. — Muy buenos días. ¿El señor don Procopio Canchalagua?*

15   CASTA. — Es nuestro padre. Tome usted asiento, que vamos a avisarle. ¿Su nombre de usted?

CLAUDIO. — Claudio Pasalodos,† señora.

CASTA. — Señorita. Las dos somos señoritas.

CLAUDIO. — Perdonen ustedes, no había reparado.

20   PURA. — Pues, con su permiso . . . (*Aparte a Casta.*) Es muy simpático.

CASTA. — Tiene unos[20] ojos interesantes. (*Vanse las dos.*)

[11]Cf. Ch. 10, fn. 21

[12]*Si . . . tuvieran*—If women had (imp. subjve. of *tener* to express a condition contrary to fact)

[13]*A . . . años*—At the age of sixteen; *A los treinta*—at the age of thirty

[14]*soñar con*—to dream about

[15]*genio*—genius, temper

[16]*lo que es hoy*—as far as today is concerned

[17]*empeñarse (en)*—to insist (on)

[18]*seamos*—(that) we should be, (on) our being

[19]*¡bonitos . . . asco son!*—men are a fine lot! How nauseating they are!

[20]*unos*—some, a few, a pair of

[d] *malvados*—wicked rascals (the reference is to men)

* *Canchalagua*, as common noun, is a medicinal herb.

† The name *Pasalodos* is, of course, coined from *pasar* and *lodo* (mud).

CLAUDIO. — Pero ¿por qué me habrán mirado de ese modo estas señoritas? Y se han ofendido porque las he llamado señoras. Yo quisiera saber cómo va uno a conocer a la simple vista el estado[21] de las mujeres. Es demasiado difícil. (*Aparece Procopio.*)

PROCOPIO. — Buenos días. Me han dicho[22] que me buscaba usted,   *5* y por cierto que su apellido[e] no me es desconocido.

CLAUDIO. — Ya lo creo que no. Yo soy hijo de su amigo don Policarpo Pasalodos.

PROCOPIO. — Cuánto celebro . . . Pero siéntese usted. (*Se sientan.*) ¿Y cómo está su papá?   *10*

CLAUDIO. — Muy enfermo. Le duelen las piernas y todo el cuerpo. En efecto, tiene unos dolores que le hacen quejarse hasta poner el grito en el cielo. Mi padre es hombre de pecho y ánimo[23] pero sólo para las adversidades ajenas. Pues como él no podía venir conmigo a Madrid, me dió esta carta para usted y me aseguró que usted me apoyaría. Dijo   *15* que contaba con usted para acompañarme como un perro a todas partes y que nos lograría usted todo lo que deseamos, si se mete usted en nuestro asunto.

PROCOPIO. — Por lo que dice en la carta, quiere que le nombren secretario . . .   *20*

CLAUDIO. — Sí, señor. Como mi padre es ahora alcalde,[24] quiere que me nombren secretario del Ayuntamiento[f] de nuestro pueblo, para que, entre los dos, podamos hacer lo que nos dé la gana,[25] sin temor a nadie. Y ayer salí volando de mi pueblo, y aquí me tiene usted.

PROCOPIO. — Sí que le acompañaré a todas partes con mucho gusto.   *25*

[21]*estado*—state, condition, status (married or single)	[24]*alcalde*—mayor (exercising also some judicial functions)
[22]*Me han dicho*—They have told me, *i. e.*, I have been told	[25]*lo . . . gana*—what the desire may strike us, *i. e.*, whatever we please (Note *dé*, pres. subjve. of *dar* and the previous *podamos*.)
[23]*hombre . . . ánimo*—a man of fortitude and courage	

[e] *apellido*—surname   [f] *Ayuntamiento*—Municipal Council

CLAUDIO. — Gracias, gracias . . . A propósito, ¿sabe usted que sus hijas son muy guapas?

PROCOPIO. — Yo las amo con delirio. Y el día que cualquiera de ellas me diga: "Papá me caso", será un golpe terrible para mí. (¡Ojalá
5 que sea[26] mañana!) Pero, en fin, si se trata de un hombre honrado que las haga dichosas . . .

CLAUDIO. — ¿Uno para las dos?

PROCOPIO. — ¡Picarillo![27] (*Dándole un golpecito en la mejilla.*)

CLAUDIO. (*Levantándose.*) — Pues, don Procopio, yo me voy.

10 PROCOPIO. (*Lo mismo.*) — ¿Tan pronto? ¡Nada, nada! Yo no puedo consentir que el hijo de mi buen amigo Policarpo vaya a parar a un hotel. ¡No faltaba más![28] Se instalará usted en mi casa. Venga usted y le mostraré el cuarto de que podrá disponer. (*Indicándole desde la puerta de la derecha.*) Esta alcoba es independiente. Ahí encontrará
15 usted cuanto necesite. (*Lanzándose[29] a la otra puerta.*) ¡Sandalia, niñas! (*Llegan éstas.*) Tengo el gusto de presentaros al hijo de mi querido amigo Policarpo.

SANDALIA. — Muy bien venido.

PROCOPIO. — Le trae un negocio a Madrid, y le he rogado que se
20 quede desde este momento en nuestra casa.

SANDALIA. — Así debe ser. ¡No faltaba más!

PROCOPIO. (*Aparte a Sandalia.*) — Le han parecido guapas. ¡Hay que pescar[g] este pez.[h] (*Se sientan todos.*)

CASTA. (*A Claudio.*) — ¿Y a usted le gusta la poesía?

25 CLAUDIO. — Pues me cargan[30] los versos: el sol de la primavera o del verano, las nubes[31] del otoño, o los vientos[32] del invierno. No caben

[26]*¡Ojalá . . . mañana!*—I hope it is (happens) tomorrow

[27]*¡Picarillo!*—little rogue (cf. Ch. 9, fn. 22)

[28]*¡No . . . más!*—That would be the last straw! I should say not. (In l. 21, I should say so.)

[29]*lanzarse*—to throw oneself, rush

[30]*cargar*—to load up; *fig.* to bore, annoy

[31]*nube*—cloud

[32]*viento*—wind

[g] *pescar*—to fish, *fig.* to catch   [h] *pez*—fish

tantas cosas en una cabeza sana.[33] En cambio,[34] yo soy muy aficionado a los toros.[35]

PURA. — Pues a mí me gustan los poetas, porque piensan en nuestro destino y saben expresar tan maravillosamente nuestros sueños y nuestras ilusiones, nuestra tristeza y nuestras esperanzas, y provocan [5] una profunda pasión por el canto de las aves,[36] la dulzura de las criaturas, la belleza de las alturas de las montañas, el misterio de los hondos abismos[i] obscuros — en fin, por toda la naturaleza.

CASTA. — "No digáis que agotado[j] su tesoro,

de asuntos falta, enmudeció la lira.[k]   [10]

Podrá no haber[37] poetas; pero siempre

habrá poesía."*

PURA. (A Claudio, que bosteza.)[l] — ¿Suspira usted?

CLAUDIO. — No, señorita. Es que bostezo de debilidad, puesto que no he almorzado todavía.   [15]

SANDALIA. — ¿Qué oigo? ¿Sin almorzar? (Se levantan todos.)

PROCOPIO. (A Claudio.) — Como nosotros ya hemos almorzado . . . Pase usted al comedor con mis hijas.

CLAUDIO. — Pasen ustedes. (Se entra antes que ellas.)

SANDALIA. — ¿A cuál de las dos crees que dé la preferencia?   [20]

PROCOPIO. — Me parece que le gustan las dos igualmente.

SANDALIA. — Pero con las dos no va a casarse.

---

[33]*sano*—healthy

[34]*en cambio*—in exchange, *i. e.*, on the other hand

[35]*yo . . . toros*—I am fond of bulls, *i. e.*, I am a fan of bullfighting

[36]*ave*—bird, fowl

[37]*Podrá no haber*—there may be no

[i] *abismo*—abyss   [j] *agotado*—(its treasure) having been exhausted, having dried up
   [k] *enmudeció la lira*—the lyre (poetry) became silent   [l] *bostezar*—to yawn

* From *Rimas* ('*Rhymes*') by Gustavo Adolfo Bécquer (1836–1870), the most lyrical poet of his time, one of the most admired poets of the Hispanic world.

PROCOPIO. — ¡Ojalá! ¡Qué lástima[38] que la ley no lo permita!...
Conque ve[39] adentro, Sandalia, y haz tus ensayos[m] de suegra cariñosa.
(*Vase Sandalia.*) A ver si Dios nos ayuda. (*Se frota[n] las manos.*) Yo
también voy a ver a mi futuro yerno.

---

[38]*lástima*—pity   [39]*ve* (*tú*)—familiar sg. command of *ir*

[m] (*haz tus*) *ensayos*—(make your) rehearsals, *i. e.*, rehearse your role   [n] *frotar*—
to rub

CAPÍTULO DIECISIETE

Las solteronas (II)

CLAUDIO. (*Comiendo un bizcocho,*[a] *sale en el momento en que Procopio llega a la puerta, y tropieza con*[1] *él.*) — Usted perdone . . .

PROCOPIO. — ¡Calle![2] ¿Ha almorzado usted ya?

CLAUDIO. — Yo acostumbro a comer muy ligero . . .[3]

PROCOPIO. — Conque, ¿qué piensa usted hacer ahora? ¿Quiere que salgamos?[4]   5

CLAUDIO. — No; ahora voy a escribir a mi padre.

PROCOPIO. — Es muy justo. Pues aquí tiene usted cuanto necesita. (*Indicándole la mesa. Claudio se sienta ante ella dispuesto a escribir.*) Entonces yo le dejo, para que tranquilamente . . . (*Vase; Claudio se*   10 *pone a escribir otra vez; entra Pura y mira por la habitación buscando algo.*) ¿Qué busca usted?

PURA. (*Con fingida sorpresa.*) — ¡Ah! ¿Estaba usted ahí? Buscaba mi devocionario.

CLAUDIO. — Vea usted si en la mesa . . .   15

PURA. (*Acercándose.*) — No, no está . . . ¿Escribe usted? . . . Pues ya le dejo.

CLAUDIO. — No se vaya usted, señorita.

PURA. — No me llame usted *señorita.* Llámeme Pura.

[1]*tropezar con*—to collide with, stumble over

[2]*¡Calle!* (or *¡calla!*)—What's this!

[3]*ligero*—light(ly), swift(ly)

[4]*¿Quiere que salgamos?*—Do you want us to go out? Shall we go out?

[a] *bizcocho*—ladyfinger, sweet tea-biscuit

CLAUDIO. — Pues bien, Pura, no se vaya usted.

PURA. (*Encontrando el devocionario.*) — ¡Ah! Aquí está mi libro . . . Puesto que no quiere usted que me vaya, mientras usted escribe, yo leeré. (*Se sienta y se pone a leer. Pausa breve.*)

5 CLAUDIO. (*Se levanta y va a sentarse junto a Pura.*) ¿Qué lee usted?

PURA. — Los medios[5] de que se vale[6] el diablo para vencernos y lograr la destrucción de nuestra alma.

CLAUDIO. — Sin duda deben de ser muchos. ¿En cuál está usted ahora?

10 PURA. — En "La Tentación".[b]

CLAUDIO. — Vaya, no lea usted más. (*Le quita el libro.*)

PURA. — ¿Y qué vamos a hacer?

CLAUDIO. — ¡Toma![7] Pues . . . hablar . . . mirarnos . . .

PURA. — ¿Qué encanto le puede ofrecer contemplar a una pobre 15 mujer como yo?

CLAUDIO. — No diga usted eso, Purita. A mí me gustan todas: las rubias[8] tanto como las morenas;[8] las gordas[9] no menos que las delgadas.[9] Y luego, Purita, si tiene usted unos ojos . . . unos labios . . . y un pie . . . (*Contemplándolo.*) ¡Ay, qué pie! (*Pura lo cubre con su* 20 *falda.*) ¿Por qué lo esconde usted, si es tan bonito? . . . Y su mano . . . (*Cogiéndola.*) ¡Vaya una mano linda![10]

PURA. — Vamos, estése usted quieto. (*Quiere retirar la mano.*)

CLAUDIO. — Mis* acciones son el resultado de la impresión que me ha causado usted. Es usted el ideal que anhelaba[c] mi imaginación. No

[5]*medios*—means
[6]*valerse de*—to make use of
[7]¡*Toma!*—Why! Well!
[8]*rubio*—blond, fair; *moreno*—brunet, dark

[9]*gordo*—fat; *delgado*—thin
[10]¡*Vaya . . . linda!*—What a pretty hand!

[b] *tentación*—temptation   [c] *anhelar*—to long for, desire anxiously

* This speech might be uttered by a cultured person and is entirely out of character for Claudio, but this is, of course, farce.

puedo dominar esta fuerza irresistible que me hace cogerle a usted la mano, besársela . . . (*En este momento sale Procopio.*)

PROCOPIO. (*Aparte.*) — ¡Caramba! ¡Esto va de veras![11] (*Desaparece por donde ha salido.*)

PURA. (*Levantándose.*) — Pero, ¿qué hace usted?   5

CLAUDIO. — Pues ya lo ve usted. Quiero probarle el extraordinario amor que me ha inspirado usted.

PURA. — ¿De veras? Yo también quiero confesarle que me ha elevado usted a los infinitos cielos y que me ha revelado usted el misterio de lo ignorado.[12] ¡Ay, Claudio! No me engañe usted, porque   10 esto sería para mí un golpe más cruel que la muerte.

CLAUDIO. (*Viendo aparecer a Casta.*) — Su hermana de usted.

CASTA. — Si estorbo,[d] me voy . . . (*Haciendo un movimiento para ello.*)

CLAUDIO. — No. Quien se va soy yo.[13] Con el viaje y las emociones   15 que he tenido, necesito descansar. Voy a echarme[14] un rato. Adiós. (*Vase.*)

CASTA. — Sentiría haber[15] interrumpido un diálogo . . . que habrá sido[16] muy interesante.

PURA. — Interesantísimo.   20

CASTA. — Un idilio de amor, según sospecho.

PURA. — Eso es: un lindo idilio de amor . . . Ya ves que llegas tarde.

---

[11]*¡Esto . . . veras!*—This is the real thing

[12]*ignorar*—not to know; *lo ignorado*—the unknown, what is unknown

[13]*Quien . . . yo*—The one who is leaving am I, *i. e.*, I am the one to leave

[14]*echarse*—to lie down (referring to human beings, general use is *acostarse*)

[15]*Sentiría haber*—I should be sorry if I have (interrupted)

[16]*habrá sido*—must have been

[d] *estorbar*—to be in the way

CASTA. — Eso lo veremos.[17] Y no es porque me guste[18] ese sujeto, sino porque lo hago cuestión de amor propio.[19]

PURA. — Lo que veo es que estás rabiando por[20] casarte.

CASTA. — ¡Eres una insolente! (*Furiosas se acercan la una a la otra.*)

PURA. — La insolente eres tú, y si te atreves . . .

CASTA. — ¡Qué! ¿Me amenazas?

PURA. — ¡Más aún! (*Se lanzan a pegarse, pero aparecen Sandalia y Procopio, los cuales corren a separarlas.*)

SANDALIA. — ¡Jesús! Pero, hijas, ¿qué es esto?

PURA. (*Abrazándola.*) — ¡Mamá!

CASTA. (*Abrazando a Procopio.*) — ¡Papá!

PURA. — Es que Casta . . .

CASTA. — Es que Pura . . .

PROCOPIO. — Ni una palabra más. Ya me figuro lo que ha pasado. Ese pícaro de[21] Claudio se ha permitido hacer el amor a las dos. No hay más remedio, pues, sino que él elija.[22] ¿Dónde está él?

PURA. — En su cuarto. (*Procopio se acerca a la puerta.*)

PROCOPIO. — ¡Don Claudio! Tenga usted la bondad de salir. (*Casta y Pura se colocan cada una al lado de una silla.*)

CLAUDIO. (*Saliendo.*) — ¿Qué manda usted?[23]

PROCOPIO. — ¿Y usted se atreve a preguntármelo? ¿Conque ha tenido usted la insolencia de hacer el amor al mismo tiempo a mis dos

---

[17]*Eso lo veremos*—We'll see about that. (Note untranslatable obj. pron. "*lo*".)

[18]*porque me guste*—because (*ese sujeto*) pleases me, *i. e.*, because I like. (Note subjve. "*guste*" to express a rejected reason and ind. used with the next "*porque*", viz., "*hago*".)

[19]*lo . . . propio*—I make, *i. e.*, I consider it a matter of pride

[20]*rabiar por*—to be "crazy" to

[21]*pícaro de*—rogue, rascal (cf. Ch. 9, fn. 22)

[22]*elegir*—to choose

[23]*¿Qué manda Vd.?*—What do you command, *i. e.*, wish?

inocentes hijas? Esto no puede quedar así. ¡Concluyamos![24] Elija usted
la que más le guste de las dos.

CLAUDIO. — ¿Que elija?[25] ¿Y para qué?

PROCOPIO. — ¡Me gusta![26] ¡Para casarse!

CLAUDIO. — ¿Pero quién piensa en eso?   *5*

PROCOPIO. — ¿Cómo que[27] *quién piensa en eso?* Ellas, yo, su madre
. . . que[28] hace quince años que no pensamos en otra cosa.

CLAUDIO. — Pero si yo no puedo casarme, porque estoy casado. (*Al
oírle, Pura y Casta se dejan caer cada una en su silla.*)

PROCOPIO. (*Furioso.*) — ¡Casado! ¿Y no le da vergüenza?[29]   *10*

CLAUDIO. — Francamente, no, señor . . . No se enfade usted . . . Yo
tengo un medio, si sus hijas desean casarse.

PROCOPIO. — Niñas, este joven tiene un medio . . . (*Pura y Casta
vuelven en sí,[30] se levantan y se acercan.*)

CLAUDIO. — Que se vengan a mi pueblo y se cumplirá su deseo.   *15*
En mi pueblo sobran muchachos y faltan chicas. Si ellas van, estoy
seguro que, antes de quince días, es trato hecho. Allí se aprovecha
todo:[31] las gordas y las delgadas, las rubias y las morenas.

PROCOPIO. — Pues este año a veranear[32] al pueblo de mi amigo
Policarpo. (*Al público.*) Y a ver si quiere Dios que se queden por allí.   *20*

TELÓN

[24]¡*Concluyamos!*—Let's put an end to it!

[25]¿*Que elija?*—(You say that) I should choose? You want me to choose?

[26]¡*Me gusta!*—I like that! (ironical)

[27]¿*Cómo que . . .?*—What do you mean . . .?

[28]*que*—for (may be left untranslated here)

[29]¿*Y . . . vergüenza?*—And aren't you ashamed?

[30]*volver en sí*—to come to, revive

[31]*todo se aprovecha*—everything is utilized

[32]*a veranear*—(let's) spend the summer

CAPÍTULO DIECIOCHO

La proeza de Benites

"The Feat of Benites." While Benites is probably a fictitious character, Felipe Santiago de Salaverry (line 1) was a Peruvian general whose dates are 1806–1836. The story was adapted from Ricardo Palma (1833–1919), a Peruvian, the most celebrated Latin American story writer of the 19th century.

El tesorero[a] de Lima escribió al general Salaverry que tenía en cajas la cantidad de treinta mil pesos, entre plata y oro, y que suplicaba[1] que el general mandase por ellos a un oficial con suficiente número de soldados, para asegurar el dinero contra los montoneros[b] de esa región.

[1]*suplicar*—to beg, entreat

[a] *tesorero*—treasurer   [b] *montonero* (S. A.)—guerrilla fighter

Los montoneros de entonces eran bandidos que, a la sombra de una bandera,[2] robaban y mataban. Como siempre, la política era el pretexto.

Salaverry se paseaba en la plaza delante de la casa que le servía de alojamiento[c] cuando recibió la carta del tesorero, y después de leerla tendió la vista en torno,[3] a tiempo que por una de las esquinas[d] cruzaba   *5* un oficial.

— ¡Capitán Benites! — gritó Salaverry.

El oficial caminó la media cuadra[e] que le separaba del jefe supremo, y después del militar saludo esperó órdenes, mientras Salaverry, sacando del bolsillo una cartera,[f] escribió con lápiz algunas líneas,   *10* arrancó[4] la hoja, y pasándola al oficial le dijo:

— Vaya usted con un sargento y quince soldados a Lima por el dinero que le entregará el tesorero. Le aguardo de regreso[5] antes de las cinco de la tarde.

— Se cumplirá, mi general — contestó Benites, saludó y se encaminó   *15* al cuartel.[g]

Era el capitán un joven de veinticuatro años de edad, simpático, generoso, valiente, alegre e inteligente, nada[6] despótico con los ·subalternos y, por lo tanto, querido por los soldados de su escuadrón. Pero como sólo en los ángeles cabe perfección,[7] no carecía[8] Benites   *20* de algunos defectos, sobre todo los de ser muy aficionado a[9] las damas (mejor dicho, a las hijas de Eva en general) y de gastar[10] mucho dinero para agradarles. Apenas cabe añadir[7] que éstas no dejaban de co-

---

[2]*a . . . bandera*—in the shadow of a flag, *i. e.*, pretending to be patriots
[3]*tender* (tend, extend) *la vista en torno*—to look around
[4]*arrancar*—to pull out
[5]*Le . . . regreso*—I expect you back
[6]*nada*—not at all

[7]*cabe perfección*—there is room for perfection, *i. e.*, perfection is possible; *cabe añadir*—there is need to add
[8]*carecer (de)*—to lack
[9]*aficionado (a)*—fond (of), devoted (to)
[10]*gastar*—to spend (money), to waste

[c] *alojamiento*—lodging   [d] *esquina*—corner   [e] *cuadra* (S. A.)—block (of houses); in Spain, *manzana*   [f] *cartera*—wallet, notebook   [g] *cuartel*—barracks

rresponderle, por su figura y su rostro, y naturalmente por su uniforme.

Al pasar por una taberna, célebre en aquellos tiempos, después de caminar mucho sin encontrar ni sombra de montoneros, hicieron alto[11] los soldados, a una orden del capitán, y éste les agasajó[h] con una
5 botella de aguardiente.[i] Les tocó a media copa por cabeza,[12] lo preciso para satisfacer su sed. Mientras ellos bebían, él echaba un trago[13] con una de las muchachas que allí había. Luego siguió a cumplir la misión, recogiendo las cajas que contenían el tesoro.

De regreso, a las tres de la tarde, Benites volvió a detenerse en la
10 taberna para obsequiar[j] con otra botella a los soldados. Calculó Benites que bien podía pasar un cuarto de hora bailando con las chicas y luego, con un poco de prisa, reunirse con sus soldados antes de que llegasen[14] al campamento. Mandó, pues, al sargento seguir con los soldados, diciendo que ya les daría alcance.[15]

15 A poco de partir los soldados,[16] apenas iba el capitán a dar el primer paso para empezar el segundo baile, ¡pin!, ¡pin![k] ¿Balazos?[l] Sí, señor . . ., balazos.

Benites saltó sobre su caballo y partió como un rayo. En lo espeso[m] del bosque, que estaba cerca de la taberna, habían salido de pronto
20 cuarenta montoneros capitaneados por el famoso Mundofeo, tan temido por los habitantes del vecindario,[n] puesto que sin piedad ni caridad robaba, destruía y mataba.

---

[11]*hacer alto*—to halt
[12]*Les . . . cabeza*—half a cup per head fell to their lot, *i. e.*, each got half a cup (glass, goblet)
[13]*echar un trago*—to pour a swallow, *i. e.*, take a sip

[14]Note subjve. (here imp.) always used after the conjunction *antes* (*de*) *que*
[15]*dar alcance* (= *alcanzar*)—to overtake
[16]*A . . . soldados*—Shortly after the soldiers left (Note *a poco*.)

[h] *agasajar*—to treat [i] *aguardiente*—brandy [j] *obsequiar*—to treat [k] *¡pin!*—bang!
[l] *balazo*—explosion or wound made by a bullet. Here, uttered as a question, it means: Did I hear shooting? [m] *lo espeso*—the dense part [n] *vecindario*—neighborhood

— ¡Rendirse, que[17] aquí está Mundofeo! — gritó el bandido a la vez que[18] su gente se lanzó sobre la tropa haciendo fuego.[19]

El pánico de la sorpresa del asalto[o] de los bandidos fué tan grande que el sargento huyó en dirección al campamento dejando dos soldados muertos y otro herido, y los demás retrocedieron en fuga[p] para Lima. Se encontró con ellos Benites y, a la cabeza de los doce, habiéndolos reanimado, penetró en el bosque y alcanzó a los bandidos que se marchaban con las mulas en que los soldados habían cargado las cajas del dinero. La lucha[20] fué terrible. Benites perdió otros dos hombres, pero mató personalmente a Mundofeo y sus soldados mataron alrededor de quince bandidos. Los demás bandidos se salvaron huyendo, tras de dejar siete u ocho prisioneros.

Entretanto el sargento había llegado al campamento y, presentándose al general, afirmó que el capitán había abandonado a la tropa; que él tuvo que dirigir el combate contra más de cien bandidos bien armados; y que había sido necesario venir a pedir que, sin pérdida de tiempo, se enviara siquiera un regimiento con armas adecuadas para rescatar[q] el dinero.

Salaverry, prestándole[21] atención, le oyó sin interrumpirle, y luego, furioso, le hizo matar por cobarde.[22] Después entró en la casa donde funcionaba el Estado Mayor.[r]

— Dos pliegos[s] de papel de oficio[23] — dijo, dirigiéndose a un subalterno.

---

[17]*¡ Rendirse!* (inf. used as command, a common construction)—Surrender! *que* (often used for *porque*) may be translated 'for', 'since', or be omitted occasionally in translation

[18]*a la vez que*—at the same time as

[19]*hacer fuego*—to fire

[20]*lucha*—fight, stuggle

[21]*prestar*—to lend, loan; to pay (attention)

[22]*le . . . cobarde*—(he) made to kill him, i. e., had him killed as a coward

[23]*oficio*—trade, occupation; *de oficio* —official

[o] *asalto*—attack   [p] *retrocedieron en fuga*—fled in retreat   [q] *rescatar*—to rescue   [r] *funcionaba . . Mayor*—the General Staff office functioned   [s] *pliego*—sheet (of paper)

— Listos,[t] mi general — contestó éste.

— Siéntese usted y escriba.

Salaverry, paseándose por la habitación, dictó:

ORDEN GENERAL. — "El jefe supremo ha dispuesto que el capitán
5 Benites sea fusilado[u] por indigno[24] y cobarde."

— Tome usted el otro pliego y escriba.

Y volvió a pasear y a dictar:

ORDEN GENERAL. — "El jefe supremo, que con espíritu justiciero
castiga todo acto deshonroso para la noble carrera de las armas, sabe
10 también premiar a los honrados militares que la enaltecen[v] por su
valor; y por lo tanto, atendiendo al heroico comportamiento[w] del
capitán Benites, le asciende[x] en nombre de la patria a mayor."[y]

Pidió pluma al subalterno, firmó ambas órdenes y salió a pasear
delante de la puerta del Estado Mayor. Luego sacó con impaciencia el
15 reloj. Faltaban diez minutos para las cinco. Un poco después se
presentó delante de él Benites, el cual ya había entregado el dinero a la
comisaría,[z] había mandado cuidar de los heridos y había dejado a los
prisioneros para que fueran fusilados.

— ¿Y el dinero? — le preguntó el general.
20 — Íntegro,[aa] mi general, sin que falte un centavo.

Y entraron en la oficina del Estado Mayor. Salaverry le dió a
Benites la primera orden general, en que le mandaba ser fusilado.

— Lea usted.

Benites obedeció, y dijo con serenidad:
25 — Quedo enterado.[25]

— Lea usted esta otra — dijo Salaverry, y le pasó la segunda; y
después de una pausa le preguntó:

---

[24]*in(digno)*—(un)worthy   [25]*Quedo enterado*—I stand informed

[t] *listo*—ready   [u] *fusilar*—to shoot   [v] *enaltecer*—to exalt   [w] *comportamiento*—
behavior   [x] *ascender*—to promote   [y] *mayor*—major   [z] *comisaría*—headquarters
[aa] *íntegro*—intact

— ¿Cuál de esas dos órdenes le dice su conciencia que merece?[26]

— La del ascenso,[bb] mi general, si usted no se opone — contestó el capitán con calma.

Salaverry rompió la primera orden, arrojó los pedazos por la ventana y dijo con una sonrisa:

— No me opongo, señor mayor; venga usted a comer conmigo.

[26]*merecer*—to deserve   [bb] *ascenso*—promotion

Apéndice

(1) Poesías[1] de Campoamor

Ramón de Campoamor (1819–1901), while not a great poet, was during his lifetime very popular in the Hispanic world. Even today few Spaniards would fail to recognize the first two of the poems given here. The Quintero brothers built their well-known playlet *Mañana de sol* around the idea of the second of the four poems.

(1) ¡QUIÉN SUPIERA ESCRIBIR![2]

DONCELLA.[3] Escribidme[4] una carta, señor cura.

CURA.   Ya sé para quién es.

DONCELLA. ¿Sabéis quién es, porque una noche obscura
          nos visteis juntos?

CURA.   Pues . . .   5

---

[1] *poesía*—poetry; poetical composition
[2] *¡ Quién . . . escribir!*—Would that I could write! *Quién* + *imp. subjve.* (with few exceptions, the *-ra* form) = *ojalá*

[3] *doncella*—maiden, lass
[4] Note the imperative pl. (*escribid, perdonad, dad*), with *vos* as subject,

DONCELLA. Perdonad;[4] mas . . .[5]

CURA.   No extraño ese tropiezo:[6]
la noche . . . la ocasión . . .
Dadme[4] pluma y papel. Gracias. Empiezo:
5   *Mi querido Ramón:*

DONCELLA. ¿Querido? . . . Pero, en fin, ya lo habéis puesto . . .

CURA.   Si no queréis . . .

DONCELLA.   Sí, sí.

CURA.   *¡Qué triste estoy!* ¿No es eso?

10 DONCELLA.   Por supuesto.

CURA.   *¡Qué triste estoy sin ti!*
Una congoja,[a] al empezar, me viene . . .

DONCELLA.   ¿Cómo sabéis mi mal?

CURA.   Para un viejo, una niña siempre tiene
15   el pecho de cristal.
¿Qué es sin ti el mundo? Un valle de amargura.
¿Y contigo? Un edén.[b]

DONCELLA. Haced la letra clara, señor cura;
que lo[7] entienda eso bien.

---

to express formal sg. address, at one time the common practice. The student should remember the general rule that the imperative mood is limited to affirmative commands of familiar address only. All other commands are expressed by the subjve.: (Familiar) *escribe* (*tú*), *escribid* (*vosotros*), *no escribas* (*tú*), *no escribáis* (*vosotros*); (Formal) *escriba Vd.*, *escriban Vds.*, *no escriba Vd.*, *no escriban Vds.*

[5]*mas* (often used in literature for *pero*)— but

[6]*tropiezo*—act of stumbling; slip, mistake

[7] Note untranslatable *lo* (anticipating *eso*). Such repetition of the object of a verb by an untranslatable obj. pron. is common in Spanish. Note also subjve. (*entienda*) expressing a wish: 'I want him to understand that well'.

[a] *congoja*—anxiety, anguish   [b] *edén*—Eden, paradise

CURA.   *El beso aquel*[8] *que de marchar a punto*[9]
                  te di . . .

DONCELLA.   ¿Cómo sabéis . . .?

CURA.   Cuando se va y se viene y se está[10] junto
                  siempre . . . No os afrentéis.[c]   *5*
                  Y si volver tu afecto no procura,[11]
                  tanto me harás sufrir.

DONCELLA.   ¿Sufrir y nada más? No, señor cura,
                  ¡que me voy a morir!

CURA.   ¡Morir! ¿Sabéis que es ofender al cielo?   *10*

DONCELLA.   Pues, sí, señor, ¡morir!

CURA.   ¡Yo no pongo *morir!*

DONCELLA.   ¡Qué hombre de hielo![d]
                  ¡Quién supiera escribir!
                  ¡Señor Rector, señor Rector! En vano   *15*
                  me queréis complacer,
                  si no encarnan los signos de la mano
                  todo el ser de mi ser.[12]
                  Escribidle, por Dios, que el alma mía
                  ya en mí no quiere estar;[13]   *20*
                  que la pena no me ahoga[14] cada día . . .
                  porque[15] puedo llorar.

[8]*el beso aquel* gives more emphasis to the demonstrative (*aquel*) than *aquel beso*, which it means.

[9]*de marchar a punto = a punto de marchar*—when you were about to leave

[10]*se va . . . se está*—people come and go and are

[11]*Y . . . procura = Y si tu afecto* (your affection, *i. e.*, you) *no procura volver*

[12]*si . . . mi ser*—if the signs made by the hand do not incarnate the whole being of my being, *i. e.*, if what you write does not convey every feeling within me.

[13]*el . . . estar*—my soul no longer wishes to be in me, *i. e.*, I no longer wish to live

[14]*ahogar*—to stifle

[15]*porque*—only because

[c] *afrentarse*—to feel offended   [d] *de hielo*—of ice, *i. e.*, cold-hearted

Que mis labios, las rosas de su aliento,[16]
no se saben abrir;[17]
que olvidan de la risa el movimiento
a fuerza de sentir.[18]

5   Que mis ojos, que él tiene por tan bellos,
cargados con mi afán,
como no tienen quien se mire en ellos,[19]
cerrados siempre están.

Que es, de cuantos tormentos he sufrido,
10   la ausencia el más atroz;
que es un perpetuo sueño de mi oído
el eco de su voz.

Que, siendo por su causa,[20] el alma mía
¡goza tanto en sufrir! . . .

15   Dios mío ¡cuántas cosas le diría
si supiera escribir! . . .[21]

CURA.   Pues, señor, ¡bravo[22] amor! Copio y concluyo:
A don Ramón . . . En fin,
que es inútil saber para esto, arguyo,[e]
20   ni el griego ni el latín.

---

[16]*aliento*—breath; courage, vigor
[17]*no se saben abrir = no saben abrirse*—
do not know how, *i. e.*, are un-
able to open
[18]*a . . . sentir*—by dint of, *i. e.*, because
they feel so distressed
[19]*quien se mire en ellos*—anyone who
would look (at himself) in them,
i. e., anyone to use them as a
mirror

[20]*siendo por su causa*—it being, *i. e.*,
because it is on his account
[21]*si supiera escribir*—if I (only) knew
how to write
[22]*bravo*—fine (expression of)

[e] *arguyo* (from *argüir*)—I argue, I conclude

(2) COSAS DEL TIEMPO[23]

> Pasan veinte años; vuelve él,
> Y, al verse, exclaman él y ella:
> (— ¡Santo Dios! ¿y éste es aquél? ...)
> (— ¡Dios mío! ¿y ésta es aquélla? ...)

(3) COSAS DE LA EDAD[23]
(*Fragmento*)

ABUELA.   No entiendo tu amor, Lucía.

NIETA.[24]   Ni yo vuestros desengaños.[25]

ABUELA.   Y es porque la suerte impía[f]
  puso entre tu alma y la mía
  el yerto[g] mar de los años.   *5*
  Mas la vejez destructora
  pronto templará[h] tu afán.

NIETA. Mas siempre entonces, señora,
  buenos recuerdos serán
  las buenas dichas de ahora.[26]   *10*

ABUELA. ¡Triste es el placer gozado![27]

NIETA. Más triste es el no sentido;
  pues yo decir he escuchado
  que siempre el gusto pasado
  suele deleitar perdido.[28]   *15*

ABUELA. — Oye a quien bien te aconseja.

NIETA. Inútil es vuestra riña.[29]

---

[23]*cosas del tiempo* (*de la edad*)—doings of time (age), *i. e.*, what time (age) does

[24]*nieta*—granddaughter

[25]*desengaño*—disillusionment

[26]*las . . . ahora*—the fine happy moments of the present

[27]*gozado*—(after it has been) enjoyed

[28]*perdido*—(after it has been) lost

[29]*riña*—fight, quarrel, scolding

[f] *impío*—impious, cruel [g] *yerto*—stiff, rigid [h] *templar*—to temper, moderate

ABUELA. Siento tu mal.

NIETA.   No me aqueja.[30]

ABUELA. (¡Pero, señor, si es tan niña!)[31]

NIETA. (¡Pero, señor, si es tan vieja!)

(4) LA VOZ DE LA CONCIENCIA

Amó a Andrés la bella Inés
con tan ciega idolatría,
que hasta a un loro que tenía
le enseñó a llamar a *Andrés*.

5 Pasó el tiempo y se olvidó
de su Andrés Inés la bella,
y un Teodoro, infiel[i] como ella,
a celos[32] la asesinó.

Y cuando, al morir, Inés
10 llamó gimiendo[j] a Teodoro,
más constante que ella, el loro
repetía: "¡*Andrés!* ¡*Andrés!*"

[30]*Siento . . . aqueja*—I feel sorry about your affliction. It's no affliction to me.

[31]*tan niña*—so young
[32]*a celos*—with jealousy

[i] *infiel*—unfaithful [j] *gemir*—to moan

(II) Don Quijote de La Mancha

No hay ninguna persona culta que, si no ha leído la obra maestra del gran Cervantes,* no haya oído contar, al menos, la aventura de don Quijote con los molinos de viento.[1]

Son proverbiales el valor y el idealismo de don Quijote, el cual hace frente a cualquier enemigo de los seres humildes[2] de la sociedad o de la humanidad en general. Si los gigantes[a] que él cree ver resultan molinos de viento, ¿qué culpa tiene él de eso? Don Quijote es el símbolo de nuestra aspiración a establecer, alcanzar y conservar, con corazón noble e intrépido, la justicia para todos ("desfacer entuertos",[b] decía él), a cualquier precio.

5

10

---

[1]*molino de viento*—windmill   [2]*ser humilde*—humble being

[a] *gigante*—giant   [b] *desfacer entuertos* (archaic)—to undo wrongs

* Consult the Vocabulary under *Quijote* and *Cervantes*.

Hablando de su temprana edad, nos cuenta un escritor argentino que, después de su trabajo diario[3] en una fábrica,[c] él tenía todas las noches delante de sus ojos ávidos "a don Quijote montado en su flaco rocín[d] Rocinante."

5 "Por supuesto, yo no penetraba bien el sentido de aquel idioma tan distinto al que oía en la fábrica. A pesar de ello, yo alcanzaba, si no lo sutil, lo esencial[e] de la obra. Yo no comprendía el paralelo entre el ensueño[f] y la razón ni la antítesis de las figuras: lo que distingue a don Quijote de su escudero[g] Sancho Panza.* Y cuando llegué al episodio 10 en que el valiente caballero salvaba al niño Andrés del látigo[h] de su amo feroz, me llené de gratitud sin fin hacia su alma generosa y noble. Les juro que yo habría agradecido mejor que aquel chico Andrés, si don Quijote hubiera aparecido, con su espada fiel, en la fábrica donde yo trabajaba."

15 Por cierto que vale la pena conocer el episodio de Andrés, aunque, es cierto, modificado un poco el lenguaje:

Don Quijote encaminó[4] a Rocinante hacia donde le pareció que salían voces. Y a pocos pasos, vió atado a un árbol un caballo y, a otro árbol, un muchacho de unos quince años de edad, que era el que daba 20 las voces, y no sin causa, porque un labrador[i] le estaba dando muchos azotes.[j]

— No lo haré otra vez, señor mío. Por Dios que no lo haré otra vez.

Y viendo don Quijote lo que pasaba, exclamó con voz airada:[k]

— ¡Caballero descortés, mal parece pegar a quien no puede

[3]*diario*—daily   [4]*encaminar*—to direct

[c] *fábrica*—factory   [d] *rocín*—nag   [e] *lo sutil*—the subtlety; *lo esencial*—the essential part   [f] *ensueño*—illusion, dreaming   [g] *escudero*—squire   [h] *látigo*—whip   [i] *labrador*—farmer   [j] *azote*—lash   [k] *airado*—angry

* Sancho Panza, the loquacious servant of Don Quijote, served his master loyally but was even more loyal to his own needs and hopes. He and his master, therefore, symbolize the opposite sides of human nature.

defenderse! Suba usted sobre su caballo, y tome su lanza;[1] que yo le haré conocer que lo que está haciendo es lo que hacen los cobardes.

El labrador, que vió sobre sí[5] aquella figura llena de armas blandiendo[m] la lanza, se tuvo por muerto, y con buenas palabras respondió:

— Señor caballero, este muchacho que estoy castigando es un criado mío, que me sirve para guardar unas ovejas;[n] y es tan descuidado[6] que cada día me pierde una. Y porque castigo su descuido,[6] dice que lo hago porque no quiero pagarle el dinero que le debo.

— ¡Por el sol que nos alumbra que estoy por[7] matarle! Páguele usted luego; si no, por Dios que le mato en este instante. Desátele luego.

El labrador bajó la cabeza y, sin responder, desató a su criado, al cual preguntó don Quijote cuánto le debía su amo. Andrés dijo que nueve meses, a siete reales[o] cada mes. Hizo la cuenta don Quijote y mandó al labrador pagar lo que debía si no quería morir por ello. Respondió el labrador:

— No tengo dinero aquí. Que venga Andrés conmigo a mi casa; que[8] yo se los pagaré un real sobre otro.

— ¡Irme yo con él! ¡No, señor! ¡Yo no me fío[9] de él! — dijo el muchacho. — Al verse solo, volverá a pegarme.

— No lo hará — replicó don Quijote. — Basta que él me jure por la ley de caballería.

— Mire usted, señor, lo que dice. Mi amo no es caballero. Es Juan Haldudo el rico.

— Importa poco eso; que[8] Haldudos puede haber caballeros. Cada uno es hijo de sus obras.[10]

---

[5]*sobre sí*—upon himself
[6]*descuido*—negligence; *descuidado*—negligent, careless
[7]*estar por*—to be inclined to, feel like

[8]*que*—for
[9]*fiarse (de)*—to trust
[10]*Cada . . . obras*—(proverb) Each one shall be judged by his deeds.

[1] *lanza*—lance   [m] *blandir*—to brandish   [n] *oveja*—sheep   [o] The *real* is no longer coined, but Spaniards still apply the name to the 25-*céntimo* piece

Y después de decir esto, don Quijote se apartó de ellos. Le siguió el labrador con los ojos, y cuando sabía con seguridad que don Quijote estaba lejos, cogió a Andrés del brazo, le volvió a atar al árbol y a darle azotes. Por fin le dió permiso para que se fuese, y Andrés partió

5 jurando ir en busca del valeroso caballero, don Quijote de la Mancha.

Ejercicios

CAPÍTULO PRIMERO

(1) Audio-Lingual Practice

Repeat the sentences in accordance with the models:

(a) *Teacher:* **El rey gobierna y guía a su pueblo.**

   Student: **Yo gobierno y guío a mi pueblo; nosotros gobernamos y guiamos a nuestro pueblo.**

1. El hermano menor decide hacer una prueba.
2. El hijo mayor ha de realizar su deseo.
3. La hija del rey pretende la corona.
4. El profesor se reúne con sus amigos el jueves.
5. Pretendiendo la mano de Elena, José suele complacerla.
6. Jorge se queja pero lleva el encargo al criado.
7. El rey le pregunta algo y pide la capa azul o la verde.
8. Julia abre los ojos pero vuelve a cerrarlos.
9. Cuando se despierta, encuentra al príncipe a los pies de su cama.
10. Primero se baña y después se viste.
11. Le castigan por sus pecados y su mal juicio.
12. Llama al príncipe, y cuida de él.

(b) *Teacher:* **Reinaba un rey hace muchos siglos.**

   Student: **Hace muchos siglos que reinaba un rey.**

1. Escogió un caballo hace una hora y media y procuró montarlo.
2. Comimos juntos hace quince días.
3. Se acostó hace veinte minutos.
4. Se presentó en la alcoba del rey hace tres semanas.
5. Repitió la pregunta hace un momento.
6. Me refirió el cuento hace un mes.

(c) *Teacher:* **El criado tiene que preparar la cama.** (*necessity*)

    Student: **El criado debe preparar la cama.** (*duty: ought to*)

                El criado ha de preparar la cama. (*futurity or mild obligation*)

1. El rey, disgustado, tiene que escoger otro heredero.
2. En fin, tengo que realizar mi deseo.
3. Jacinto López tiene que cuidar de sus padres.
4. En cuanto a Rafael, tiene que bañarse antes de acostarse.
5. Tú tienes que ponerte la camisa verde.
6. Josefina tiene que hacer la prueba aquí mismo.
7. Yo mismo tengo que juntar todas mis prendas de vestir.
8. Todos los nobles tienen que reunirse con el rey.

(II) Comprehension

Review the idioms (**haber de, en cuanto, hacer una pregunta, con respecto a, a ver, quedar, volver a** + inf., **pensar en, tenerse por, ponerse** + article of clothing, **en fin, a caballo, mismo** expressing emphasis, **hace** + past tense) *and repeat each sentence completing it according to its sense:*

Teacher: **En cuanto entré, mi hermano me hizo una. . .**

Student: **En cuanto entré, mi hermano me hizo una pregunta.**

1. Pepe me dijo hace un mes que habíamos de salir juntos montados a . . .
2. En fin, el rey quedó muy . . .
3. En cuanto se juntaron mis prendas, mi criado me ayudó a . . .
4. Con respecto al color, mañana voy a ponerme la camisa . . .
5. Al día siguiente el rey, al despertarse, vió a los pies de su cama a su hijo . . .
6. El hijo mayor olvidó que tenía que salir con su . . .
7. El rey, después de bañarse, quería . . .
8. "Tú me sirves tan bien," dijo el rey, "que me tengo . . ."

9. Solíamos besar a nuestro padre, antes de acostar . . .

10. Como el rey no sabía a cuál de sus hijos nombrar como heredero al trono, decidió hacer una . . .

(III) Questions

Answer in complete Spanish sentences:

1. ¿Cuántos hijos tenía el rey?
2. ¿A cuál de ellos llamó la primera vez?
3. ¿Qué le mandó hacer al día siguiente?
4. ¿Qué ocurrió la mañana siguiente?
5. ¿Cómo se reunieron las prendas de vestir del rey?

6. Después de la experiencia con el hijo mayor, ¿con quién volvió a hacer la prueba?
7. ¿Cómo quedó el rey por la falta de inteligencia del hijo segundo?
8. ¿Qué ocurrió cuando dió el mismo encargo a su hijo menor?
9. ¿A quiénes reunió el rey?
10. ¿Qué les dijo?

CAPÍTULO SEGUNDO

(I) Audio-Lingual Practice

Repeat the sentences in accordance with the models:

(a) *T:* **El jefe de la estación ha cumplido con su deber.**
   S: **El jefe de la estación cumple con su deber.**

1. A última hora me he colocado a la izquierda.
2. El jefe se ha negado a quitar la cesta de huevos.
3. El telón ha cubierto la escena del ferrocarril.
4. Han emprendido un viaje alrededor del mundo.
5. Hemos jurado que algo falta en la caja.
6. Hijo mío, ¿y qué nos ha importado eso?
7. La mujer despierta ha abrazado a su hija.

8. Luis y yo nos hemos secado el sudor.

9. No han estado en casa sino en la cárcel.

10. No has necesitado acompañarla a la estación.

11. La campana ha sonado tres veces.

12. El calor les ha hecho gritar y amenazar.

13. El portero me ha devuelto el billete.

14. Dejando el equipaje en el suelo, me he detenido a ver si algo falta.

(b) *T:* **Volví a ganarme la buena voluntad del jefe.**
    S: **Me gané otra vez la buena voluntad del jefe.**

1. La mujer despierta y yo volvimos a secarnos el sudor.

2. Volvieron a enterarme del asunto.

3. Rosita ha vuelto a cubrir la mesa.

4. Vuelvo a decir que no parece sino que tienen miedo.

5. No vuelva Vd. a gritar.

6. El jefe volvió a quitar la caja del asiento.

7. No vuelvo a poner la cesta en el suelo.

8. He vuelto a enfadarme.

9. Los alumnos vuelven a prestarme atención.

10. Nos hemos vuelto a poner los zapatos.

11. ¿Volvéis a negaros a salir por la derecha?

12. La madre de Ana vuelve a subir al coche.

(II) Comprehension

(a) *Review the idioms* (**tener miedo, tener razón, tener calor,** etc., **no parece sino, faltar, a la vez, a última hora, prestar atención, hace color, hace frío, en seguida, al fin y al cabo, negarse a**) *and repeat each sentence completing it suitably:*

1. Cuando habla el profesor, los estudiantes deben prestar . . .

2. No parece sino que crees que entiendes más que tu madre: como . . .

3. Luisa examina las cosas de la cesta porque cree que . . .
4. Llamé a Rosita y ella llegó en . . .
5. El jefe dice que las cestas no van en el sitio de las personas y yo creo que él tiene . . .
6. Los pasajeros se niegan a subir al . . .
7. Al fin y al cabo estamos en un país libre: a nosotros no nos manda . . .
8. Conviene no llegar a clase a última . . .
9. Este verano ha hecho mucho . . .
10. Comen y hablan a la . . .
11. En esta clase no estudiamos francés sino . . .
12. Vamos a emprender un viaje alrededor del . . .

(b) *Complete unfinished sentences in left-hand column with proper line from right-hand column:*

Teacher	*Student*
1. Rosita y Juan se casaron, y los	suben al coche.
2. Los acompañó doña Luisa,	hay una cesta.
3. Ésta los deja, y Juan y Rosita	por qué no quiere quitar la cesta.
4. Al lado de una mujer	se niega a hacerlo.
5. Rosita le pide a la mujer	suya sino de la mujer dormida.
6. Pero la mujer	que es la madre de Rosita.
7. Llega el jefe y, después,	vemos en la estación del ferro-carril.
8. Por fin preguntan a la mujer	y ésta quita la cesta.
9. Y responde que no es	la pareja de la Guardia Civil.
10. Despiertan a la mujer dor-mida	el favor de quitar la cesta.

(III) Questions

Answer in complete Spanish sentences:

1. ¿En qué estación del año pasa la acción?
2. ¿Cómo sabemos eso?
3. ¿Con qué motivo acompaña doña Luisa a su hija?
4. Según Juan, ¿quién tiene razón, la madre o la hija?
5. Según el equipaje que llevan, ¿qué viaje parece que van a emprender?
6. Para avisar a los pasajeros que deben subir al tren, ¿qué suena?
7. ¿Dónde pasa la acción del segundo cuadro?
8. ¿Por qué no quiere la Mujer Segunda quitar la cesta?
9. Entonces ¿a quién llama Juan?
10. ¿De quién es la cesta?
11. ¿Qué hay en ella?

CAPÍTULO TERCERO

(1) Audio-Lingual Practice

(a) *Construct each series of words in accordance with the model:*

(Vino, cerveza, agua)

T: **¿Le traigo vino o cerveza?**

S: **No, gracias; ni vino ni cerveza, sino agua.**

1. Café, té, leche
2. Sopa, albóndigas, un filete
3. Pollo frito, chuletas de cerdo, chuletas de cordero
4. Queso, helado de chocolate, arroz con leche
5. Carne, pescado, puchero
6. Una cuchara, un cuchillo, un vaso

(b) *Repeat the sentences according to the model:*

T: **Nosotros nos dedicamos a estudiar el español.**

S: **Yo me dedico a estudiar el español.**

1. Nosotros nos acostamos temprano.
2. Nosotros nos levantamos tarde.
3. Nosotros nos dirigimos al comedor.
4. Nosotros nos sentamos en la mejor silla de la sala.
5. Nosotros nos despertamos a la una y media.
6. Nosotros nos dormimos a las cinco y cuarto.
7. Nosotros nos vamos en seguida.
8. Nosotros nos bañamos antes de acostarnos.
9. Nosotros nos enteramos de todo eso.

(II) Comprehension

Review the idioms (**ya que, puesto que, ya no, tener ganas de, tener mucha hambre, tener mucha sed, lo menos, a lo menos, en vez de, por más que, saber a, lo mismo da, no [. . .] más que, eso sí, a sí mismo (-a), en efecto**) *and repeat each sentence completing it suitably:*

1. Don Jacinto apenas tiene fuerzas para seguir . . .
2. Los esposos entran en el restaurant puesto que don Jacinto tiene . . .
3. Ya que es un restaurant de lujo, les van a cobrar tres veces más que en . . .
4. Me preguntan si quiero vino o leche y respondo que me da . . .
5. Los esposos se quedaron en el restaurant puesto que era feo . . .
6. Cada uno cree que no se come bien más que en su . . .
7. La sopa no está muy caliente aunque hace mucho . . .
8. No debemos entrar en un restaurant si no tenemos ganas de . . .
9. Doña Laura no espera al mozo y se sirve la sopa a sí . . .
10. Como la comida no es abundante, nada va a . . .
11. En vez de vino tomamos . . .
12. ¿Ya es tarde para el almuerzo, o siguen ustedes . . .?

(III) Questions

Answer with complete Spanish sentences:

1. ¿Dónde se sientan los esposos?
2. ¿Por qué no siguió caminando don Jacinto?
3. ¿Cuánto cobran en los restaurantes de lujo?
4. Según don Jacinto, ¿qué son todos los extranjeros?
5. ¿Por qué no salen los esposos de "El Paraíso"?
6. Mientras su esposo come, ¿a qué se dedicará doña Laura?
7. ¿Qué despierta en don Jacinto ganas de comer?
8. ¿Hasta qué hora sirven el almuerzo?
9. ¿Cómo se come en su casa?
10. Nombre Vd. algunos platos de la lista.
11. ¿Por qué no pidieron más que un cubierto?
12. ¿Cómo sabía don Jacinto que la sopa no estaba caliente?
13. ¿Con qué se come la sopa?
14. ¿A qué sabe la sopa?

(IV) Word Study

(a) *Match the English words* (*column 1*) *with their Spanish cognates* (= *words derived from the same root*) *in column 2, and give difference in meaning, if any:*

1	2	1	2
strange	*inglés*	midday	*inteligencia*
site	*fuerza*	millionaire	*frecuentar*
clear	*plato*	subject	*servir*
force	*pensar*	stranger	*millonario*
enter	*negar*	frequent	*estómago*
luxury	*extraño*	list	*detener*
English	*claro*	stomach	*verdad*
dedicate	*creer*	rare	*lista*
pensive	*falta*	serve	*mediodía*
creed	*dedicar*	tardy	*raro*
plate	*entrar*	verity	*extranjero*
fault	*lujo*	intelligence	*sujeto*
negate	*sitio*	detain	*tarde*

(b) *Distinguish between the following pairs of words:*

1. camino (*noun*), camino (*verb*); 2. seguir, siguiente; 3. despierto (*verb*), despierto (*adj.*); 4. prueba (*verb*), prueba (*noun*); 5. calor, caliente; 6. cobrar, cubrir; 7. cuarto (*noun*), cuarto (*adj.*); 8. hambre, hombre; 9. almuerzo (*noun*), almuerzo (*verb*); 10. extranjero, extraño; 11. deber (*verb*), deber (*noun*); 12. ya que, ya no.

CAPÍTULO CUARTO

(1) Audio-Lingual Practice

(a) *Repeat the sentences in accordance with the model:*

T: **Solían levantarse temprano, aun cuando no trabajaban.**

S: **Se levantaban temprano, aun cuando no trabajaban.**

1. Solían quedar disgustados si no les servíamos chuletas de cerdo.
2. El perro solía morder a todo el mundo.
3. Leal solía lamernos cuando volvíamos a casa.
4. Ana solía devolvernos los libros que le prestábamos.
5. Solíamos sentirnos débiles si no almorzábamos temprano.
6. Solías traer la sopa y olvidabas lo demás.
7. El cartero solía entregarme mis cartas a las nueve de la mañana.
8. Yo solía leer en el periódico los artículos sobre los asuntos de gobierno.
9. El mozo del restaurant solía desesperarnos.
10. Solíamos ir allá los lunes, los miércoles y los viernes.

(b) *Form interjections in accordance with the model:*

T: **mozo, bruto**

S: **¡Qué mozo tan bruto! ¡Qué mozo más bruto!**

1. almuerzo, rico; 2. perro, fiel; 3. alumno, simpático; 4. cara, antipática; 5. mancha, fea; 6. cosa, rara; 7. cuadro, bonito; 8. soldado, valiente; 9. pan, blando; 10. carne, dura.

(II) Comprehension

Review the idioms (**gustarle a uno, a casa de, en casa de, ¡No faltaba más!, pasado de moda, conque, echar a perder, saber, de espaldas, que = porque, acabar de, todo el mundo, a los** [46] **años, [pero] si, lo [los, las] demás**) *and repeat each sentence completing it suitably:*

1. A doña Laura le gustan las croquetas pero no sabe . . .
2. Ella y su esposo las comieron en casâ de don Tadeo la Nochebuena del año . . .
3. A Leal le pusieron este nombre porque él es muy . . .
4. Siempre que vuelven a casa, Leal lame a los esposos para manifestarles su . . .
5. Según doña Laura, la sopa era pura . . .
6. Doña Laura cree que a su marido le gustan todas las mujeres, menos . . .
7. Doña Laura echa a perder el vestido y dice que su marido tiene la . . .
8. La mujer de la mesa inmediata parece alguna cosa, si se la mira de . . .
9. Parece elegante pero lleva falda corta cuando eso ya está pasado de . . .
10. Un individuo le pisó a doña Laura el . . .
11. El marido debe defender a su mujer. ¡No faltaba . . .!
12. Mozo, a ver si me trae Vd. un papel, que voy a guardarle a Leal el . . .
13. Según doña Laura, su perro muerde a todo . . .
14. Pregunto al mozo si es trucha el pescado que acaba de . . .

(III) Questions

Answer with complete Spanish sentences:

1. ¿Quién sirve la comida?
2. ¿Qué va a guardarle doña Luisa al perro?

3. ¿Cómo tiene la cara la señora de la mesa inmediata?
4. ¿Qué echó a perder doña Luisa?
5. Según ella, ¿quién tiene la culpa de ello?
6. El que le pisó el pie a doña Laura, ¿cómo lo hizo?
7. ¿Dónde ha de poner doña Luisa el grito?
8. ¿Cuánto paga don Jacinto por el almuerzo?
9. ¿Cuánto da de propina?
10. ¿Qué ha de hacer él mientras su mujer va a casa de su tío?

(IV) Word Study

Match the English words (column 1) with their Spanish cognates (column 2), and give difference in meaning, if any:

1	2	1	2
celestial	*sopa*	soldier	*simpatía*
reason	*saber*	bounty	*desesperado*
abundant	*bruto*	adjutant	*medio*
soup	*esposo*	capacity	*inmediato*
prove	*abundante*	respect	*conclusión*
savory	*sonar*	disgust	*decidir*
pure	*razón*	desperate	*seguir*
direct	*cielo*	sentiment	*valiente*
spouse	*frío*	medium	*fiel*
sound	*riqueza*	sequence	*bondad*
calorie	*dirigir*	conclusion	*ayudar*
cover	*débil*	restaurant	*periódico*
admire	*aparte*	ossified	*respetar*
riches	*probar*	bland	*soldado*
prime	*cubierto*	immediate	*sentir*
molest	*puro*	periodical	*disgusto*
debility	*admirar*	decide	*hueso*
apart	*molestar*	fidelity	*capaz*
frigid	*calor*	valiant	*blando*
brute	*primo*	sympathy	*restaurant*

CAPÍTULO QUINTO

(I) Audio-Lingual Practice

Repeat the sentences in accordance with the model:

T: **De acuerdo con las nuevas circunstancias, dispongo (disponía) una nueva orden.**

S: **De acuerdo con las nuevas circunstancias, estoy disponiendo (estaba disponiendo) una nueva orden.**
De acuerdo con las nuevas circunstancias, voy disponiendo (iba disponiendo) una nueva orden.

1. Pasan rápidos los años de la juventud.
2. Pepe sube la escalera con gran dificultad.
3. El profesor nos cuenta la historia de un alumno de cierto país lejano.
4. A consecuencia de los inconvenientes del internado, los alumnos se meten en casas de huéspedes.
5. Mis padres me repiten las ventajas de estudiar mucho.
6. Evitábamos los peligros de relaciones con malos compañeros.
7. Mis estudios me exigían muchas horas de trabajo.
8. Sin duda, te cuesta miles de duros tu viaje alrededor del mundo.
9. El pobre animalito se encuentra falto de alegre ambiente.
10. Con poca dificultad consigo muchas ventajas.
11. El loro demostraba mucho cariño a los jóvenes vestidos de uniforme.
12. Doña Serapia lloraba sin cesar.
13. Yo me reanimo con la alegría y las risas de los cadetes.
14. Nos exponíamos a fantásticos peligros.

(II) Comprehension

Repeat the sentences choosing the appropriate word or phrase:

T: **Los alumnos externos viven en (palacios, escuelas, casas de huéspedes).**

S: **Los alumnos externos viven en casas de huéspedes.**

1. Es muy doloroso para los padres tener un hijo (*malo, alegre, tierno*).

2. Tirabeque jamás se había separado (*del uniforme de su madre, de la espalda de su madre, de las faldas de su mamá*).

3. Para evitar excepciones, el padre cree que hay una solución (*caliente, expuesta, sencilla*).

4. Las obras de reforma en un edificio de once pisos costarían (*miles de criaturas, miles de duros, miles de huesos*).

5. Al saber que Tirabeque había de estar externo, su madre quedó muy (*disgustada, contenta, cierta*).

6. Exceptuando las protestas de doña Serapia, las de las otras dueñas de casas de huéspedes resultaron (*abundantes, llenas, inútiles*).

7. A consecuencia de la última orden, la casa de doña Serapia volvió a llenarse de (*jóvenes profesores, juveniles chuletas, cadetes*).

8. La madre y la abuela de Serapia también fueron (*amas, doñas, ventajas*) de una casa de huéspedes.

9. Fuera de la vigilancia paterna, los chicos están expuestos al peligro de relaciones con malos (*viajeros, compañeros, extranjeros*).

10. De acuerdo con los deseos de sus padres, los hijos buenos deben (*correr, evitar, estudiar*).

11. El general y el loro se parecían como dos (*ganas, gatos, gotas*) de agua.

(III) Questions

Answer with complete Spanish sentences:

1. En un principio, ¿dónde comían y dormían los cadetes de la academia?

2. Después de la orden, ¿adónde fueron a vivir?

3. ¿A qué peligro estaba expuesto Tirabeque fuera de la vigilancia de la academia?

4. Repita Vd. brevemente lo que el padre de Tirabeque le dijo al Ministro de la Guerra.

5. ¿Qué contesta el padre cuando el Ministro le dice que las obras de reforma costarían miles de duros?

6. ¿Cómo pudo conseguir el padre la nueva orden?

7. ¿En quién estaba concentrado el cariño de doña Serapia?

8. ¿A qué estaba acostumbrado el loro?

9. Al encontrarse falto de alegre ambiente, ¿cómo se puso el loro?

10. Dé un breve resumen de lo que pasa en el resto del cuento.

(IV) Word Study

(a) *Match words in column 1 with opposites in column 2:*

1	2	1	2
reunirse	inútil	tarde	tener hambre
siguiente	despierto	perder	triste
bonito	quitarse	mucho	mentira
abrir	criado	comer	quedarse
mayor	devolver	menos	dentro
preguntar	pasado	frente	poco
jamás	la izquierda	fresco	nada
jefe	después	irse	pagar
ponerse	feo	fuera	cerca
tomar	siempre	lejos	caliente

1	2	1	2
faltar	cerrar	alegre	más
casarse	separarse	gusto	otro
la derecha	menor	verdad	de espaldas
útil	estar presente	algo	en seguida
antes	contestar	mismo	disgusto
dormido	divorciarse	cobrar	encontrar

(b) *Translate the sentences and indicate the idioms:*

1. A propósito de los inconvenientes de los trenes así como de otras maneras de viajar, se dispuso una orden que todos los viajeros debían ir a caballo.

2. A propósito, me gustaría saber con qué motivo dieron los demás chicos en llamarle Tirabeque, y por qué doña Serapia iba teniéndole de huésped.

3. En un principio, Cachimbo sí que se puso triste a consecuencia de la orden, pero, a fuerza de paciencia, otra vez empezó a repetir su frase favorita cuando veía pasar a una señorita.

4. Volvió a hacerme saber que, a causa de la ventajas de las casas de huéspedes, es decir, los deseos de doña Serapia, los alumnos habían de ir otra vez a vivir fuera de la academia. Así no habría que añadirle lo menos dos pisos al edificio. Ya lo ve Vd.

CAPÍTULO SEXTO

(1) Audio-Lingual Practice

Repeat the sentences according to the model:

T: **Cuando yo me siento, las chicas se colocan a mi derecha.**

S: **Al sentarme yo, las chicas se colocan a mi derecha.**

1. Cuando el profesor se levanta, yo me levanto también.

2. Cuando nos asomamos al balcón, saludamos a algunos amigos.
3. Cuando llega la reina, el rey baja del trono para ir a recibirla.
4. Cuando vemos entrar a Lola, vamos a besarle la mano.
5. Cuando el rey nos concede el don, lo aceptamos de buena gana.
6. Cuando la suegra coge la mano del rey y se la besa, le agradece su justicia infalible.

(II) Comprehension

Review the idioms (**hacerle caso a uno, a pesar de, ponerse de rodillas, cuanto antes, hacerle falta a uno, tratar de, tratarse de, hace**+present tense, **desde luego, contar con, a medias, ¿qué hay?**) *and repeat the unfinished sentences completing them with an appropriate word or phrase from those in parentheses:*

1. El rey se divierte dando a las chicas palmaditas en las (*maravillas, mejillas, estrellas*).
2. El rey gobierna al pueblo (*hace quince años, hace calor, hace falta*).
3. La autoridad del rey Alí Barba (*a medias, desde luego, desde donde*), es absoluta.
4. Al ver al rey, Lola se pone de (*estrellas, mejillas, rodillas*).
5. El pueblo quiere al rey y (*cuenta con, trata de, hace caso a*) su justicia.
6. El ministro habla al rey, pero éste no le (*trata de, hace caso, hace casi*).
7. El ministro cree que es conveniente oír la querella de la suegra (*cuando antes, tanto después, cuanto antes*).
8. El rey consiente en oír la querella (*tratarse de, a pesar de, tratar de*) preferir divertirse con las chicas.

9. Los yernos no tienen (*cara, mejilla, isla*) india.

10. Para acertar al menos a medias, Alí Barba quiere cortar a la suegra por el (*principio, fin, medio*).

11. El rey se figura que Lola tratará de (*hacerle caso, hacerle falta, hacerle el amor*).

12. La suegra dice que le (*hace calor, hace falta, hace caso*) un yerno para mantenerla.

13. El rey pregunta, "¿qué hay?", y el ministro responde que (*se trata de, a pesar de, trata de*) la querella de la suegra.

14. La suegra pide que (*el ministro, el rey, Lola Brígida*) resuelva el caso.

15. El rey quiere cortar a la suegra por el medio para (*acertar, advertir, exigir*) al menos a medias.

16. Para partir a la suegra por el medio, el rey (*coloca, saca, aparta*) su espada.

(III) Questions

Answer with complete Spanish sentences:

1. Diga Vd. lo que repiten a coro las muchachas.

2. ¿Dónde han vencido los ejércitos al enemigo?

3. ¿Cómo se divierte el rey?

4. ¿Qué quiere el pueblo?

5. ¿Quién se halla entre el pueblo?

6. ¿Por qué ha venido Lola?

7. ¿En qué idioma le saluda Lola al rey?

8. ¿Qué colores se mezclan en California?

9. En el caso de los dos yernos, ¿qué tiene que resolver el rey?

10. Para acertar al menos a medias, ¿qué iba a hacer el rey?

(IV) Word Study

(**a**) *Match words in column 1 with those of related meaning in column 2:*

1	2	1	2
soler	querer	en cuanto a	deseo
siguiente	conseguir	inquietud	terminar
maestro	descender	entregar	juntos
subir	los demás	molestar	poner
encontrarse	estar acostumbrado	con mucho gusto	falta de tranquilidad
otra vez	amargura	exigir	querella
besar	devolver	gana	nunca
después	próximo	estar	dar
dolor	volver a	acabar	pedir
respuesta	profesor	mozo	con respecto a
dar	ascender	próximo	de buena gana
lograr	hallarse	colocar	disgustar
bajar	más tarde	jamás	encontrarse
ir	dirigirse a	reunidos	cerca
los otros	contestación	queja	joven

(**b**) *Read, translating English words:*

1. Sin *doubt*, *he departed* del país, *crossed* desiertos y mares e hizo muchos *efforts* para *support* a sus hijos.
2. *Attracted* (*pl.*) por su barba y sus *wise words*, vinieron a *hear him*.
3. *He pulled out* la espada y dijo que para *be right* a medias era justo *to cut* a la mujer por el medio.
4. El rey *greets* a Lola en el palacio, y el *unhappy army* se encuentra en el *battle field*.
5. *Unaware* a la canción que cantan, *he explains* el asunto en *our own* idioma.
6. El ministro *doesn't lie* al decir que Lola *is* (=*finds herself*) *among* el pueblo.
7. *I imagine* que *in spite of everything*, la *entire* nación adora al rey.
8. Las *goodlooking* artistas de cine *please us* al ejecutar varios *dances*.

CAPÍTULO SÉPTIMO

(1) Audio-Lingual Practice

Repeat each sentence changing the tense as in the model:

T: **El tío Pedro** *cría* **enormes calabazas y las** *ve* **crecer.**

S: **El tío Pedro** *ha criado* **enormes calabazas y las** *ha visto* **crecer.**

El tío Pedro *había criado* **enormes calabazas y las** *había visto* **crecer.**

1. Tiembla con emoción al notar que se ponen amarillas.
2. Las conozco por el color y hasta por el nombre que les pongo.
3. Las cortamos y las llevamos al mercado.
4. Empiezan a insultarse y gritan a voz en cuello.
5. Acuden muchas personas y se arrodillan.
6. El pobre hombre se echa a llorar como un niño.
7. Quiere desatar el saco y se lo impiden.
8. ¿Ve Vd. qué pronto le pruebo eso a todo el mundo?
9. Trato de escaparme pero me encuentro rodeado por los demás.
10. Noto con asombro que los tallos corresponden como dice Luis.
11. ¿Quién le comunica al tío Pedro esta noticia tan dolorosa?
12. Echa el saco al suelo y se dirige a todo el grupo.

(II) Comprehension

(a) *Review the idioms* (**tener . . . años, poner nombre, a veces, al cabo, a voz en cuello, dar con, estar para, ponerse** + adj., **parecerse a, echarse a** + inf., **darse cuenta de, hay que** + inf., **qué** + adj. or adv., **resolverse a, alegrarse, sobre todo, al fin, a fin de, ¡como si lo viera!**) *and repeat the unfinished sentences completing them suitably:*

1. Pedro tenía sesenta . . .
2. Solía referirse a sus calabazas por el nombre que les había . . .
3. Ella y la hija menor del juez se parecen como dos gotas de agua, pero yo no . . . parezco a nadie.

4. Había que vender las calabazas, pero el tío Pedro no se dió . . . de ello.

5. Pensando en los exámenes, en abril y mayo, muchos alumnos, a veces, se resuelven . . .

6. Al fin y al cabo, había que partir para Cádiz y había que comprar un billete de ida y . . .

7. Todo el mundo acudió al oír gritar a esos chicos a voz en . . .

8. El profesor se apresuraba a salir y claro que no estaba para . . .

9. En cuanto a las calabazas, ¿en qué mes del año empiezan a . . . amarillas?

10. "Me alegro de verle," me dijo el juez al dar . . .

11. El pobre viejo, lo mismo que un niño, se echó a . . .

12. Al ver al ladrón, el juez mandó al policía llevarle . . .

13. Al oír el nombre del ladrón, el tío Pedro exclamó: "¡Ése había . . . !

14. ¡Como si lo viera! El ladrón llevó mis calabazas al mercado a fin de . . .

(**b**) *Complete unfinished sentences in left-hand column with proper line from right-hand column:*

1. Pedro había criado cala- y mandó a un policía llevar preso
   bazas en su huerta, y al vendedor.

2. Pero, durante la noche, y entre ellas, el juez.

3. Se resolvió a ir a Cádiz y además tuvo que devolver el
   porque comprendió que dinero que había cobrado.

4. En un puesto las reconoció pero el juez le mandó quedarse.

5. El vendedor dijo que se las llegó a ver lo que pasaba.

6. Acudieron muchas personas pensaba venderlas al día siguiente.

7. Éste dijo que había que a que sus calabazas habían estado
   identificar unidas.

8. Entretanto el tío Fulano se las robaron.

9. Al verlo, trató de irse el ladrón iría allá a venderlas.

10. Pedro sacó de un saco los   un tallo sacado del saco.
    tallos
11. Cada calabaza correspondía   las calabazas con pruebas seguras.
    a
12. Llevaron preso al tío Fulano había comprado a cierto tío
                                  Fulano.

(III) Questions

Students should prepare questions to bring out the simple facts of the story. Some may be called on to ask such questions and others to answer them.

(IV) Word Study

Match the English words (column 1) with their Spanish cognates (column 2), and give difference in meaning, if any:

1	2	1	2
entire	*curso*	advanced	*personaje*
annual	*gracioso*	mendacious	*sentir*
cuisine	*patria*	apropos	*exigir*
guard	*acuerdo*	disgrace	*criatura*
history	*recordar*	hospitality	*(re)animar*
(de)part	*año*	(in)convenient	*joven, juvenil*
accord	*campo*	personage	*avanzado*
isle	*artista*	maintain	*reforma*
found	*expuesto*	creature	*a causa de*
course	*obra*	master	*mentir*
alumnus	*partir*	exact	*(in)conveniente*
exposed	*historia*	reform	*a propósito*
opera	*entero*	juvenile	*propósito*
paternal	*cocina*	because of	*huésped*
record	*fundar*	sentiment	*agradecer*
gracious	*alumno*	animate	*maestro*
camp	*isla*	proposition	*mantener*
artist	*guardar*	grateful	*desgracia*

CAPÍTULO OCTAVO

(1) Audio-Lingual Practice

Repeat the sentences in accordance with respective models:

(a) *T:* **Paco tiene sólo cinco duros.**

     S: **Paco no tiene más que cinco duros.** } Frank has only five dollars.

        A Paco no le quedan más que   Frank has only five dollars
        cinco duros.   left.

    1. Tenemos sólo un minuto.
    2. Tengo sólo noventa centavos.
    3. Pepe tiene sólo unos pajarillos.
    4. Luis y Luisa tienen sólo su amor.
    5. Tú tienes sólo un amigo.
    6. Vosotros tenéis sólo un rato.

(b) *T:* **No tengo más penas.**

     S: **Se me acabaron las penas.**

    1. Al cabo, Josefina no tiene más cuidados.
    2. Nosotros no tenemos más paciencia.
    3. No tengo más consejos.
    4. ¿No tiene Vd. más dinero?
    5. He observado que no tenéis más confianza.

(c) *T:* **Quiero aprovechar el billete.**

     S: **Quiero aprovecharme del billete.**

    1. Queremos aprovechar el único instante que nos queda.
    2. ¿Por qué no aprovecha Vd. los consejos del profesor?
    3. ¿Vas a aprovechar la ausencia del jefe?
    4. He de aprovechar el viaje en vuestra compañía.

(II) Comprehension

After each sentence has been read by the teacher, repeat correcting incorrect statement, if any:

1. Al levantarse el telón, Matilde y Nonito se acomodan en el departamento del cura.
2. A doña Paca le parece que los recién casados no deben ir solos en un departamento.
3. Nonito y Matilde recogen el equipaje y pasan al departamento del cura.
4. Doña Paca se va antes de despedirse de su hija, y el tren se pone en marcha.
5. Siempre que emprende un viaje, el cura tiene por costumbre cenar.
6. La cuerda que cuelga del techo es el timbre de alarma para parar el tren.
7. El revisor tiene que cobrarle cincuenta pesetas a Nonito.
8. No les queda ningún dinero a los recién casados.
9. Nonito le había regalado a Matilde los pendientes que lleva.
10. Nonito podrá empeñar su reloj, porque lo ha vendido.

(III) Questions

Answer with complete Spanish sentences:

1. ¿Por qué tiene Matilde que untarse los ojos algunas veces?
2. ¿Qué contesta el cura al saber que Matilde y Nonito acaban de casarse?
3. ¿Por qué van a Madrid?
4. ¿Qué le dice el cura cuando doña Paca se echa a llorar?
5. ¿Qué suele hacer el cura siempre que emprende un viaje?
6. ¿Qué ocurre cuando Matilde tira de la cuerda?
7. ¿Cuánto tiene que cobrarle el revisor a Nonito?
8. Después de pagarle al revisor, ¿cuánto dinero le queda a Nonito?

9. ¿Por qué no pueden empeñar el reloj de Nonito?
10. ¿Valen mucho los pendientes de Matilde?
11. ¿Por qué se incomoda Matilde?
12. ¿Quién hace las paces entre los recién casados?

(IV) Word Study

(**a**) *Match the English words (column 1) with their Spanish cognates (column 2), and give difference in meaning, if any:*

1	2	1	2
court	*jurar*	illuminate	*angustia*
figure	*pariente*	ordinary	*población*
counter	*(in)feliz*	appropriate	*ejecutar*
idiom	*puesto*	ascertain	*querella*
jury	*verdura*	notable	*representación*
real	*figurarse*	chastise	*maravilla*
occult	*forma*	scene	*contribución*
subject	*corte*	equivocation	*apropiado*
parent	*menor*	population	*notable*
felicity	*vendedor*	marvel	*equivocación*
palm	*policía*	querulous	*iluminar*
form	*idioma*	execute	*huerta*
vendor	*sujeto*	judicious	*preso*
post	*sorpresa*	anguish	*acertar*
police	*noticia*	horticulture	*registrar*
verdure	*contra*	prisoner	*excusado*
minor	*palmada*	representation	*castigar*
soil	*real*	contribution	*ordinario*
notice	*ocultar*	excused	*escena*
surprise	*suelo*	register	*juicio*

(**b**) *Give and translate the idiomatic expressions corresponding to their following key words* (all in *La luna de miel*): **no hay que; costumbre; mismo; fin (cabo); lado; marcha** (*two idioms*); **cumplir; olvidado; tono; enhorabuena; echar; cosas; siempre; tanto; atención**

CAPÍTULO NOVENO

(1) Audio-Lingual Practice

Repeat the sentences in accordance with their respective models:

(a) *T:* **Debe de haberse criado . . .**
    S: **Se habrá criado . . .** } He must have been raised.

   T: **Debían de ser las once.**
   S: **Serían las once.** } It probably was eleven o'clock.

1. Siento el mal rato que debían de pasar mis tíos.
2. Debe de haberse perdido la carta.
3. La pícara de la criada debía de guardarse el dinero del sello.
4. Debe de haber millones de estrellas.
5. Juzgando por el sol, debe de ser la una.
6. No lo hizo porque no debía de atreverse.
7. Debo de haberme dormido en la cama de don Juan Manuel.
8. Supuse que debías de oír la misa de alba en la iglesia inmediata.
9. Deben de haber echado la ventana abajo.
10. El mozo se despidió tan pronto porque debía de tener otro viaje que hacer.

(b) *T:* **Le di la carta a la criada.**
    S: **Se la di a la criada.**

1. Paco me entregó la silla a mí.
2. ¿Dónde te dieron los golpes?
3. Nos explicó el asunto por señas.
4. Voy a pasarme las noches en la calle.
5. Se pasaron el día sentados en la escalera.
6. Le regalé el reloj de oro a mi sobrina.
7. El maestro les pidió ese favor a sus alumnos.
8. Ellos se comieron todo el pan.

(II) Comprehension

Repeat each sentence completing it in accordance with the story of the play:

1. Braulio llama a la ventana de Pepe porque éste le mandó . . .
2. Después de lavarse y hacerse una taza de café, Pepe piensa . . .
3. Pero si vuelve a la cama, Braulio echará la ventana . . .
4. A Pepe le gusta la Astronomía porque . . . saber algo de las cosas.
5. Creyendo que tendría que despertar a sus tíos a las tres de la madrugada, Áurea sentía el . . . que iba a darles.
6. Hace cuatro días que Áurea avisó a sus tíos que . . .
7. Por eso le extraña que no hayan ido a la . . .
8. Áurea da golpes que no pueden . . . de oírse en las otras casas.
9. Según el mozo, la criada se ha guardado el dinero del . . .
10. Es inútil llamar, ya que no hay . . .
11. Pepe cree que Áurea es vieja porque ésta ha fingido la . . .
12. Pepe repasa la Astronomía porque quiere saber las cosas a . . .
13. Pepe le saca a Áurea el sillón donde comía Felipe Segundo antes de . . .
14. La historia a que se refiere Pepe es del verano . . .

(III) Questions

Answer with complete Spanish sentences:

1. Al levantarse el telón, ¿quién viene?
2. ¿Dónde llama? ¿Con qué objeto?
3. ¿Qué tiene que repasar Pepe?
4. ¿Qué conviene saber?
5. ¿Por qué cree Áurea que les va a dar un mal rato a sus tíos?
6. Como había avisado hace cuatro días que venía, ¿qué le extraña a Áurea?
7. ¿Por qué siente Áurea haber despedido al mozo?
8. ¿Adónde se fueron los señores de Argés?

9. ¿Cómo hay que hablarles a los sordos?
10. ¿Qué se echa Áurea a la cara?
11. ¿Qué voz finge?
12. ¿Dónde se ve obligada Áurea a pasar la noche?
13. ¿Cómo tiene Pepe que aprenderlo todo?
14. ¿Qué rey comía en el sillón que saca Pepe?
15. Según Pepe, ¿qué tienen todos los edificios de Toledo?

(IV) Word Study

(a) *Match English words (column 1) with Spanish cognates (column 2), giving difference in meaning, if any:*

1	2	1	2
serene	*sello*	examination	*iglesia*
epoch	*dormir*	Ursa Major	*suerte*
nocturnal	*antiguo*	convenient	*viaje*
aperture	*estrecho*	advise	*vecino*
profound	*objeto*	cognizant	*habitación*
(re)count	*sereno*	voyage	*incluso*
seal	*modo*	tardy	*Osa Mayor*
strait	*fondo*	vicinity	*avisar*
dormant	*época*	sort	*conocer*
mode	*contar*	habitation	*examen*
antique	*noche*	ecclesiastic	*tardar*
object	*abrir*	inclusive	*conviene*

(b) Idioms—*Select the Spanish phrase or phrases corresponding to the English expression heading the group:*

1. *at night:* de la noche, de noche, a la noche, por la noche
2. *It's incredible!:* ¡Todo lo posible! ¡Es posible! ¡Parece mentira!
3. *to knock again:* volver a echar, volver a llamar, llamar otra vez
4. *since (=because):* desde (que), ya que, pues, puesto que, como
5. *the rascally maid:* la criada de la pícara, la pícara de la criada

6. *alone:* sólo, solo, a solas
7. *that settles it:* eso es, no diga Vd. más, a ver
8. *I should say so:* ya lo creo, eso sí, ya no, claro
9. *presently:* a poco, al presente, en poco
10. *the thing (point) is:* es que, hay que, la cosa es
11. *to knock down:* echarse a bajar, llamar abajo, echar abajo
12. *thoroughly:* a solas, a fondo, perfectamente
13. *can't help but:* no poder ayudar, no conviene, no poder menos de
14. *to have a headache:* tener cabeza de dolor, tener dolor de cabeza, dolerle a uno la cabeza
15. *it can't be helped:* ¿qué remedio?, no puede ayudarse, no hay remedio

CAPÍTULO DÉCIMO

(1) Audio-Lingual Practice

(**a**) *The English prefixes "in" (invisible), "un" (unnecessary), etc., are often translated in Spanish by 'poco'. Repeat the sentences according to the model:*

T: **Jacinto no tiene buen juicio. Un chico falto de alegría.**
S: **Jacinto es poco juicioso. Un chico poco alegre.**

1. José es un chico falto de inteligencia.
2. Ya ves las consecuencias de una broma falta de meditación.
3. He notado que esos muchachos son imprudentes.
4. Sucede que la cosa es insignificante.
5. Mi sobrino es un chico inactivo.
6. Los vecinos juzgaron que Áurea era indiscreta.
7. En cuanto a mi sobrino, es un chico falto de amabilidad.
8. Siento decir que mi primo no tiene espíritu religioso.

(b) *Repeat the sentences according to the model using the proper tense:*

T: **Hace (Hacía) dos meses que estudian (estudiaban) mucho.**

S: **Llevan (Llevaban) dos meses estudiando mucho.**

1. Hace mucho tiempo que la conozco.
2. Hacía tres horas que esperaba a mi amante esposa.
3. Hace poco tiempo que lo dudo.
4. Hacía una hora y media que descansábamos.
5. Hace trece minutos que repasan la lección juntos.
6. Hacía mucho tiempo que oíamos ese ruido.
7. Hace tres meses que gozamos del adelanto de la luz eléctrica.
8. Hacía cuatro semanas que él llenaba mi balcón de flores.

(II) Comprehension

After each sentence has been read by the teacher, repeat completing it with a suitable word or phrase from the following expressions: **tratarse de, enamorarse de, dejar de + inf., otros tantos, tener ganas de, llenar de, vestido de, a eso, encontrarse con, puede que, hacer falta, nada de, cumplir . . . años, dar en, de lo contrario, caber, llevar . . . -ndo:**

1. Pepe, en cuanto vió a Áurea, . . . de ella.
2. Sigo creyendo que, por ella, Pepe . . . estudiar.
3. Áurea recibió noventa cartas de . . . compañeros de Pepe.
4. Pepe acabó por enviar una carta que apenas . . . por la puerta.
5. Áurea . . . mucho tiempo esperando en la calle, porque se encuentra . . . que sus tíos no están en casa.
6. Siendo jóvenes, los cadetes siempre . . . ganas de broma.
7. Pero es que Pepe probó su amor llenando el balcón de Áurea . . . flores.
8. Puede . . . se abra la puerta; de lo . . ., no hay remedio.
9. Todo el mundo supone que no . . . trata de un amor sino de un pasatiempo.
10. Sus compañeros dieron . . . llamar a Pepe "El Matachicas".

11. A eso he venido: a entrar . . . estudiante en la universidad.

12. Ayer he . . . dieciséis años, y no me hacen . . . cadetes.

13. Pepe, creyendo que Braulio se burla de él, exclama: "¡Nada . . . bromas!"

14. Un balcón lleno de flores le parecía a Áurea demasiadas . . .

(III) Questions

Answer with complete Spanish sentences:

1. ¿De qué palabra se deriva Áurea?

2. ¿A quién le echa Pepe la culpa de haber dejado de estudiar?

3. ¿Por qué no contestó Áurea a sus cartas?

4. ¿Qué le hizo suponer que se trataba de un pasatiempo?

5. ¿Qué pruebas dió Pepe de su amor?

6. ¿Por qué fué aumentando el tamaño de las cartas?

7. ¿Qué decía el papel que llevaba el muñeco?

8. Según Áurea, ¿cual fué el resultado de esa broma?

9. ¿Cómo abre Braulio la puerta?

10. ¿Cómo sabe él que Áurea no había estado sola?

11. ¿Qué se le dice al que se va a acostar?

12. ¿Qué hace Pepe cuando Áurea se niega a asomarse a la ventana?

(IV) Word Study

Match words in column 1 with those of related meaning in column 2:

1	2
enhorabuena	teniendo en consideración
querido	darse cuenta
decidir(se a)	palabras falsas
claro	ponerse de rodillas
arrodillarse	iluminar
es lo mismo	resolver(se a)
hace falta	felicitaciones

	1	2
	mentira	ponerse a +*inf.*
	comprender	de mi corazón
	alumbrar	lo mismo da
	en atención a	ya lo creo
	principiar	es necesario

1	2	1	2
anciano	detener	cierto	mandar
concluir	angustia	volver	manera
cariño	educar	seña	comenzar
parar	delante de	enviar	seguro
entero	terminar	cuarto	marcharse
criar	completo	modo	señal
frente a	viejo	irse	habitación
dolor	amor	empezar	regresar

CAPÍTULO ONCE

(1) Audio-Lingual Practice

After each sentence has been read by the teacher, respond, changing position of object pronoun, according to model:

(a) *T:* **Iban a imponerme (Estaban imponiéndome) un castigo.**

  S: **Me iban a imponer (Me estaban imponiendo) un castigo.**

1. ¿Quieres acercarte a mí?
2. Encontré un zapato viejo y quise distribuirlo, hecho pedazos, en todos los platos de carne.
3. La señorita Iriarte y yo estábamos mirándonos.
4. Yo no vuelvo a hacerlo.
5. He de advertirles que "querer" no se escribe con "ce".
6. El cura iba a casarnos.
7. En cuanto a las piedras, seguí tirándolas al río.
8. Por fin el Director empezó a ablandarse.

(b) *T:* **Me puse los zapatos negros; Quítese el sombrero rojo.**

   S: **Me los puse; Quíteselo.**

1. Póngase Vd. las medias amarillas.
2. No se ponga Vd. el traje nuevo.
3. Voy a ponerme la camisa azul.
4. Alfonso no se puso los zapatos negros.
5. Al quitarme la capa, noté que no era mía.
6. No nos quitamos el sombrero porque hace frío.
7. ¿Te pusiste dicha prenda?
8. No nos hemos puesto los zapatos.
9. Todavía no me he cortado el pelo.
10. ¿Por qué tiene Vd. puestos el sombrero y el vestido negros?

(II) Comprehension

After each sentence has been read by the teacher, repeat, making corrections, where necessary, in accordance with the story in the text:

1. Me dijo con voz seca: "Póngase el sombrero y vamos al *otro colegio*".
2. Aún me faltaban cinco meses para cumplir mi castigo de quince.
3. Ese castigo me fué aplicado gracias a aquella suela de zapato que, hecha pedazos, distribuí en todos los platos de carne.
4. De pronto en mi mente se hizo la paz: ¡Se trataba del Director! Y me puse rojo.
5. El *otro colegio* era un internado de niñas del cual huíamos los muchachos.
6. Íbamos al *otro colegio*, ya en busca de Sor Pascuala, ya a fin de tirar piedras.
7. La frecuencia con que nos veíamos fué consecuencia de algunos idilios.

8. No queriendo ser más que los demás chicos, le escribí una carta a Concha.

9. Concha era una niña en cuyos ojos había ya todo lo profundo del río.

10. Entretanto debo decir que en aquel tiempo me disgustaba más un nido de pájaros que otra cosa.

11. ¡Así, pues, la catástrofe era más agradable aún de lo que yo me la había imaginado!

12. Puesto que Vds. se quieren, he resuelto matarlos, ¿estamos?

13. Concha se echó a reír, y yo no tardé en imitarla.

14. Como ella no disponía de más lógica que yo, se atrevió por fin a exclamar: "¡Ya no lo vuelvo a hacer!"

15. Le indiqué los pájaros al Prefecto y murmuré con malicia: "¿Por qué no les besan a ésos?"

(III) Questions

Answer with complete Spanish sentences:

1. Al saber que le llamaba el Director, ¿qué presentía Suárez?

2. ¿Cuántos días le faltaban aún del otro castigo?

3. ¿Qué había puesto en los platos de carne?

4. ¿Con qué objeto solían ir los chicos al colegio de las niñas?

5. ¿Cómo se mantenían los idilios que originaron esas visitas?

6. ¿Qué hizo llegar Suárez a las manos de Concha?

7. Cuando los niños estaban delante del Director, ¿qué le advirtió éste a Suárez?

8. ¿Qué iba a hacer el Director si los niños se querían?

9. Al oír lo que piensa hacer el Director, ¿qué hacen los niños?

10. En vez de casarlos, ¿qué castigo va aplicarles el Director?

11. ¿Qué le hace exclamar a Suárez el Quijote que se hallaba en su sangre?

12. Al ver los pájaros, ¿qué murmura Suárez al Prefecto?

(IV) Word Study

(a) *Note the following selected idioms from this chapter:* **no sé qué, faltar (a), faltarle a uno, no ser menos, ¿estamos?, asistir (a), ya ... ya, no tardar en, a poco(s instantes), disponer de**

(b) *Match words in column 1 with opposites in column 2:*

1	2	1	2
anterior	castigo	llegada	rojo
cierto	empezar	conveniente	ponerse de rodillas
bajar	faltar	moverse	dejar de hacer
discreto	a causa de	recoger	mente
dulce	desatar	divertirse	estar seguro
feliz	ponerse	profundo	rápidamente
felicidad	concluir	solo	obscuridad
fuerte	levantarse	levantarse	despegar
salida	posterior	acercarse	estar quieto
vender	falso	cuerpo	faltar (a)
atar	lavarse	acabar	desesperarse
quitarse	amargo	dudar	inconveniente
empezar	subir	pegar	acompañado
arriba	infeliz	luz	pasar un mal rato
sentarse	comprar	al cabo	salida
caricia	débil	lentamente	alejarse
sobrar	entrada	esperar	en un principio
secarse	estúpido	asistir (a)	distribuir
a pesar de	abajo	pálido	superficial
terminar	desgracia	cumplir	ponerse a + *inf.*

CAPÍTULO DOCE

(1) Audio-Lingual Practice

*Respond to the sentences read by the teacher by changing, according to model, wherever possible, to (a) Passive Voice expressed with **ser** + pp.; (b) Passive Voice expressed by Reflexive; and (c) Result of an action expressed by **estar** + pp.:*

T: **Pepe abrió las puertas.**

S: **Las puertas fueron abiertas por Pepe.** (*Agent* [*Pepe*] *is expressed*)
[The doors were opened by Joe.]

Se abrieron las puertas. (*Subject is inanimate and agent is not expressed*) [The doors were opened.]

Ya están abiertas las puertas.

[The doors are open.] (*They are open doors — no action involved*)

1. Ana cerró la ventana.
2. Tomás vende todos los libros.
3. Laura rompió la silla.
4. El espejo engaña a Florita. (*Reflexive not possible — animate subj.*)
5. Don Jacinto adquirió la fama de buen jefe.
6. El perro comió los huesos.
7. Paco escribió muchas cartas.
8. Luis olvidó el sombrero.
9. El general ha dispuesto una orden. (ha sido dispuesta)
10. El orador aburrió al público. (*cf. 4 above*)
11. Rosa ha hecho un cambio en el programa.
12. Paco compone una canción.
13. Ana averiguó la verdad.
14. José propone un proyecto magnífico.
15. Luis dijo lo preciso e hizo el trato.
16. Tomás anunció el error anterior.

(II) Comprehension

Repeat sentences read by the teacher completing them in accordance with the action of the playlet:

1. Tan bonita es Florita que parece mentira que no tenga . . .
2. Ella suspira al ver la calle sin . . .

3. Florita llega a creer que, si los muchachos no le hacen el amor, será porque no es bonita y el espejo la . . .
4. Es su opinión que no puede ser otra . . .
5. La pobre se pregunta: "¿Qué les darán algunas mujeres a . . . ?"
6. Luego se da cuenta de . . . que valen los hombres.
7. Por eso le da más rabia que los hombres le . . .
8. Estanislao va encogiéndose de hombros.porque está . . .
9. Al revés de los otros muchachos, en cuanto le gusta una niña . . .
10. A Patiño los pies le llevan al sitio de siempre porque no saben ir a . . .
11. Estanislao no puede casarse porque ¿de dónde va a sacar el . . . ?
12. Las distracciones más naturales para un chico son echarse . . .
13. Cantando lo de antes, Florita vuelve a entrar en la casa para sacar otra silla, por si . . .
14. Pero uno de los muchachos, despidiéndose de su hermano, se marcha, y la silla ya está . . .

(III) Questions

Answer with complete Spanish sentences:
1. ¿Por qué suspira Florita?
2. ¿A quién busca Morales?
3. Por lo que dice Florita, ¿es Filomena más bonita o más fea que ella?
4. ¿Por qué no es Patiño el primero en saludar a Florita?
5. ¿A qué sitio se dirige Patiño?
6. ¿Cuál es su frase favorita?
7. Después de irse Patiño, ¿a quiénes ve Florita?
8. ¿Por qué sigue Estanislao encogiéndose de hombros?
9. ¿Dónde pasa él todas las noches?
10. ¿Por qué las pasa allí?
11. Según Florita, ¿para qué son las novias?
12. ¿Qué hace Estanislao en cuanto le gusta una muchacha?

13. En cuanto a esto, ¿cómo es con respecto a los otros chicos?

14. ¿Por qué no puede casarse?

15. Explique Vd. el título de la obrita.

(IV) Word Study

Match English words (column 1) with their Spanish cognates (column 2) and give difference in meaning, if any:

1	2	1	2
pass	*visión*	pedal	*monstruo*
people	*fijarse*	predicate	*gusto*
encounter	*milagro*	valor	*revés*
lateral	*rabia*	monster	*pie*
portal	*raro*	merit	*distraer*
gallant	*pasar*	animal	*tratar*
rave	*lado*	gusto	*predicar*
vision	*pueblo*	pique	*mérito*
rare	*galán*	distract	*valor, valer*
fix	*puerta*	reverse	*picar*
miracle	*encontrar*	tractable	*animal*

CAPÍTULO TRECE

(1) Audio-Lingual Practice

The exercises on the subjunctive in this chapter and the following ones do not furnish a complete review of the subject, for which the grammar text should be consulted. The present exercise deals with the subjunctive after (*a*) a wish; (*b*) emotion.

Repeat each sentence in accordance with the model:

T: **¿Quieres (sientes) decírmelo?**

S: **¿Quieres (sientes) que Pepe me lo diga?**

1. Desean resistir los encantos de Filomena.

2. ¿Quiere Vd. asistir a la representación?

3. Siento tener que dirigirme allá.

4. Me alegro de casarme con Rosita.

5. Tengo miedo de comer pescado en julio.

6. Siento encontrarme en semejante situación.

7. Lamentan no poder ayudar a mis vecinos.

8. ¿Quiere Vd. decirme si vienen hacia acá?

9. Me espanto de oírlo.

10. Se asustan de haberse perdido.

11. Quieren encender con lo más nuevo.

12. Tengo ganas de mudarme para otra calle.

13. No deseo reparar en nadie.

14. Me alegro de escuchar esa música suave.

15. ¿Conviene Vd. en advertírselo?

16. No consiento en fijarme en semejante sujeto.

(II) Comprehension

Repeat each sentence completing it in accordance with the action and dialogue of the playlet:

1. Estanislao no puede casarse porque tiene encima su . . .

2. Aunque Estanislao huye a las otras muchachas, no tiene inconveniente en asistir a las representaciones de la Pinturerita, ya que está el tablado . . .

3. Estanislao sólo volverá por la calle de Florita cuando ella . . .

4. José Campo es muy simpático y tiene cara de . . .

5. Para que Campo no crea que está esperando a alguien, Florita . . .

6. Para llegar a su calle, Campo necesita ir todo seguido hasta estar en la plaza, y entonces debe . . .

7. La suerte no está para el que . . .

8. ¡No le ha pasado esto nunca a Campo! ¡Si viene todas las semanas y nunca . . .!

9. En cuanto a la calle, por fortuna es larga, porque si no, no . . . el letrero.

10. Para encender su puro, Campo elige el encendedor moderno, porque, siendo joven, quiere encender con . . .

11. Florita se alegra de veras cuando oye la música, y se pone a . . .

(III) Questions

Answer with complete Spanish sentences:

1. ¿A quién le huye Estanislao más que a todas?
2. ¿Por qué no puede él casarse?
3. ¿Qué le advierte Florita a Estanislao?
4. ¿Qué sabe cantar ella?
5. ¿Cuánto y cómo canta?
6. ¿Por qué se marcha Estanislao aprisa?
7. ¿Por qué no se desmaya Florita?
8. ¿Qué no le había pasado nunca a Campo?
9. ¿Qué le pide él a Florita?
10. ¿Qué le trae ésta?
11. ¿Quién no le dejaba a Campo fijarse en las muchachas?
12. ¿Por qué no le conviene él a Florita ni aun viudo?
13. ¿Para quién no está la suerte?
14. ¿Qué hace Florita cuando ya apenas se percibe la música?

(IV) Word Study

(a) *In each line find the word unrelated to the group:*

1. encima, aprisa, detrás, cerca, encanto
2. pasearse, caminar, evitar, correr, andar
3. meter, poner, colocar, he puesto, he recordado
4. amargura, sentimiento, ambiente, dolor, pena
5. coche, viudo, ferrocarril, viajero, jefe de estación

6. terminación, fin, reñir, acabar, concluir, cabo
7. mirar, herir, ver, reparar, fijarse
8. elegir, reírse, alegrarse, contento, satisfecho
9. triste, desesperado, desgraciado, casado, doloroso
10. principiar, dirigirse a, comenzar, empezar, ponerse a
11. tener miedo, temor, asustarse, espantarse, temer, dar con

(b) *Note the following selected idioms from this chapter:* **de mala gana, dar con, (de) por medio, por fortuna, tener cara de, por casualidad, de manera que, reparar en, fijarse en, a menudo, perderse**

CAPÍTULO CATORCE

(1) Audio-Lingual Practice

Respond to the sentences in accordance with the models:

(a) *T:* **Quiero (espero, pido, ojalá) que no se caigan.**
   S: **Que no se caigan.** (*My wish is* or *I hope they don't fall down.*)
   1. Quiero que no se rían Vds.
   2. Espero que no repares en mis defectos.
   3. Ojalá que haya paz.
   4. Pido que me traten bien.
   5. Deseo que procure Vd. alcanzarle.
   6. Ojalá que no se pierda Vd.

(b) *T:* **¿Quieres traerme el traje verde?**
   S: **Que se lo traiga él.** (*Let him bring it to you.*)
   1. ¿Quiere Vd. venderme los libros?
   2. ¿Quiere Vd. recordarme mis propios vicios?
   3. ¿Quiere Vd. añadirme algunos lápices?
   4. ¿Quiere Vd. arreglarme el dichoso asunto?
   5. ¿Quiere Vd. alcanzarme el cuchillo?

6. ¿Quiere Vd. ponerme el sombrero?
7. ¿Quiere Vd. hacerme un favor?
8. ¿Quiere Vd. quitarme los zapatos?
9. ¿Quiere Vd. regalarme quinientos duros?
10. ¿Quiere Vd. sacarme una silla?

(II) Comprehension

Repeat each sentence completing it as suggested by its sense or in accordance with the dialogue of the playlet:

1. ¡Cuántas cosas arregla el dinero y . . .
2. Reglita quisiera ver la película de . . .
3. Pero ella no tiene dinero, ni su vecina . . . He aquí la . . .
4. Si las muchachas quisieran venderle los ojos, a Caliche le faltaría . . . para pagárselos.
5. Ya no se usan las chisteras ni aun en los . . .
6. Si alguien se pone esa chistera sin tapa en un entierro, hasta el muerto . . .
7. Tanta conciencia tiene que haber en el vendedor como en . . .
8. Reglita trae una silla con el asiento . . .
9. La silla también tiene una pata . . .
10. Es decir, que a la silla le falta. . .
11. Al ver tal silla, Caliche se echa a . . .
12. Al mismo tiempo, pensando en el cine, Manola exclama . . .
13. Por las dos cosas, si se las lleva, Caliche no quiere darle a Reglita más que la . . .
14. Según Caliche, en otra casa tendrían que darle a él, en semejante caso, dinero . . .
15. El padre de Reglita tiene libros en todas . . .
16. Sin embargo, él la mata sin duda, si ella le vende un libro y él . . .
17. Caliche asegura a Reglita que su padre no ha de echarlos . . .
18. Caliche dice que no es un hombre sin conciencia pero que el negocio es . . .

(III) Questions

Answer with complete Spanish sentences:

1. ¿Hay algo más triste que pasar una semana sin dinero?
2. ¿Cómo arreglaría el dinero la situación de las dos muchachas?
3. ¿Cuál es el título de la película que quieren ver?
4. Para ir al cine, ¿qué dificultad hay?
5. ¿Por qué no puede Reglita pedirle dinero a su papá?
6. ¿Qué objetos compra y vende Caliche?
7. Si van a venderle los ojos, ¿qué les advierte Caliche a las chicas?
8. Según Reglita, ¿dónde se usan mucho las chisteras?
9. Según Caliche, si un individuo se pone una chistera en un entierro, ¿quién se ríe de él?
10. Al ver la silla rota, ¿qué opinión tiene Manola de su valor?
11. ¿Qué le va a dar Caliche a Reglita por las dos cosas?
12. ¿Qué tendrían que darle en otra casa?
13. ¿Cuándo debe venir Caliche si quiere comprar libros?
14. Según Manola, ¿qué debe decirle Reglita a su padre si éste echa de menos algún libro?

(IV) Word Study

(a) *Note nouns ending in "o"* (e. g., **castigo**) *with infinitive ending in "ar"* (**castigar**) *and give corresponding infinitives:*

abandono, abrazo, adelanto, agrado, ánimo, apoyo, arreglo, asombro, asomo, aumento, aviso, baño, beso, bostezo, brillo, cambio, camino, canto, cargo, curso, daño, descanso, deseo, desprecio, empeño, empleo, encanto, encargo, enfado, engaño, enojo, espanto, estudio, extraño, extremo, gasto, gozo, grito, gusto (disgusto), insulto, mando, negocio, odio, olvido, pago, paro, paseo, paso, peso, piso, premio, principio, regalo, regreso, reino, remedio, reparo, repaso, respeto, retrato, rezo, salto, saludo, suspiro, término, tiro, trabajo, trato, uso, vacío, velo

(**b**) *Note that radical-changing verbs do not, of course, have the diphthong in the infinitive (***acierto — acertar***). Give the corresponding infinitives:*

acuerdo, almuerzo, ciego, consuelo, encuentro, entierro, esfuerzo, gobierno, juego, recuerdo, ruego, tropiezo, vuelo

CAPÍTULO QUINCE

(1) Audio-Lingual Practice

(**a**) *Review in your grammar text the subjunctive in adverbial and adjective clauses and respond to the following sentences in accordance with the models:*

T: **Pepe estudia mucho cuando llega la época de los exámenes.**
S: **Pepe estudiará mucho cuando llegue la época de los exámenes.**

T: **Se presenta un chico que habla español.**
S: **Que se presente un chico que hable español.**

1. Pepe se asusta cuando ve las preguntas del examen.
2. Los alumnos esperan hasta que llega el maestro.
3. Hay en esta clase jóvenes que no se cansan de estudiar. (¿Hay . . . ?)
4. Caliche trae libros que son notables. (¿Tiene Vd. . . . ?)
5. Yo busco a mis amigos cuando me hacen falta.
6. Los libros que están a mi lado son amigos eternos. (Los libros son amigos eternos, estén . . . [*see* p. 77, l. 14])
7. Cuando llegan al cine, Reglita le dice a su padre que han cambiado la película. (Reglita le dirá . . .)
8. Caliche viene a tratar de los libros cuando don Isidoro está en casa. (Caliche tendrá que venir . . .)
9. Dispongo de un edificio que tiene tres pisos. (¿Dónde podré adquirir . . . ?)
10. Yo esperé hasta que volvieron. (¿Piensa Vd. esperar . . . ?)

(b) *Repeat the sentences using "son" or "sean" according to context:*

1. Tenemos aquí muchos libros que — textos de lectura.
2. Nunca compro libros que no — interesantes.
3. Quiero ver algunas novelas que — obras maestras.
4. Me niego a leer esas obras a menos que — interesantes.
5. Deben evitarse los libros que no — buenos.
6. Aunque falta la emoción en los textos de gramática, hay que estudiarlos sin que — emocionantes.
7. ¿Por qué ha adquirido Vd. estas comedias que — tan pesadas?
8. A veces ponemos obritas del teatro español para que las clases — más interesantes.

(II) Comprehension

Repeat each sentence completing it according to the text:

1. Caliche comprendió que las dos chicas buscaban . . .
2. Según él, las chicas no deben dejar de ver una preciosidad como *El ladrón de besos*, porque . . .
3. Don Isidoro se da cuenta de que Reglita iba a . . .
4. Don Isidoro no quiere examinar los libros que le ofrece Caliche porque cree que antes debe . . .
5. Un libro bueno no sólo no nos engaña sino que acierta . . .
6. Una casa sin niños es triste, porque . . .
7. Los libros son el espíritu de los demás . . .
8. Quevedo, desde su prisión, dijo a propósito de los libros: "Vivo en conversación con los difuntos y escucho con mis ojos . . ."
9. Amado Nervo dice que los libros y el Amor son las dos alas que el anhelo necesita para llegar a la . . .
10. Don Isidoro no quiere que llore Reglita; ni Manola . . .
11. Siempre tiene la culpa de todo . . .
12. El cine a veces refleja bellas novelas e instructivas páginas de . . .
13. Una película de tal obra como *El burlador de Sevilla* entra . . .
14. En efecto, un ladrón de besos será un . . .

(III) Questions

Answer with complete Spanish sentences:

1. ¿Por qué se asusta de pronto Manola?
2. Al ver a don Isidoro, ¿qué trata Reglita de ocultar?
3. ¿De qué se da cuenta don Isidoro?
4. ¿Por qué no va a reñir más duramente a Reglita?
5. ¿Por qué están en el desván algunos libros?
6. En vez de engañarnos, ¿qué logran los libros buenos?
7. ¿Por qué es triste una casa sin libros?
8. ¿Quién no está solo nunca en la vida?
9. ¿Dónde estaba Quevedo al escribir los versos acerca de los libros?
10. Según Reglita, ¿quién tiene la culpa de todo?
11. A propósito de esto, ¿qué dice don Isidoro?
12. Según él, ¿qué es el cine?
13. ¿En qué categoría entra *El burlador de Sevilla?*
14. ¿Qué han de jurar las chicas?
15. ¿Qué es un "Don Juan Tenorio" de la época actual?

(IV) Word Study

(a) *Note nouns ending in "a" with infinitives ending in "ar". A few radical-changing verbs of this group appear toward the end. Give the corresponding infinitives:*

alarma, amenaza, angustia, arma, ayuda, burla, busca, calma, carga, casa, causa, cena, cita, compra, consulta, cura, diferencia, duda, entrega, envidia, falta, figura, firma, forma, guía, habla, honra, lucha, mancha, maravilla, marcha, mezcla, nota, obra, pregunta, presencia, protesta, queja, rabia, sospecha, suma, visita, cuenta, fuerza, muestra, prueba

(b) *Consulting, if necessary, the bracketed list on the next page, give Spanish infinitives having same derivation as:*

aburrimiento, admiración, adoración, aparte, atrevimiento, bajo, bastante, bendito, cabo, célebre, cerca, comida, conocimiento, continuación, conveniente, correspondencia, corrida, cruz, cubierto, costumbre, creencia, criado, cuidado, cumplimiento, dedicación, desesperación, despedida, despierto, dormido, durante, elevado, entendimiento, entero, entrada, equivocación, esperanza, estado, existencia, expuesto, ganancia, golpe, habitación, imitación, indicación, interés, lejos, limpio, lleno, muerte, murmuración, necesario, ocupación, ofensa, parada, perdón, permiso, preparación, presentación, producción, provecho, recibo, respiración, resultado, salido, seco, sentido, tarde, temor, valor, vestido, viaje, vista. [*Infinitives:* aburrir, admirar, adorar, apartar, atreverse, bajar, bastar, bendecir, acabar, celebrar, acercar(se), comer, conocer, continuar, convenir, corresponder, correr, cruzar, cubrir, acostumbrar, creer, criar, cuidar, cumplir, dedicar, desesperarse, despedir(se), despertar(se), dormir, durar, elevar, entender, enterar, entrar, equivocarse, esperar, estar, existir, exponer, ganar, golpear, habitar, imitar, indicar, interesar, alejarse, limpiar, llenar, morir, murmurar, ocupar, ofender, parar, perdonar, permitir, preparar, presentar, producir, aprovechar, recibir, respirar, resultar, salir, secar, sentir, tardar, temer, valer, vestir, viajar, ver]

CAPÍTULO DIECISÉIS

(1) Audio-Lingual Practice

Review the subjunctive following (a) *an expression of doubt or denial and* (b) *an impersonal expression, then respond to the sentences below in accordance with the models:*

(a) *T:* **Ana cree (sabe, lee, etc.) que Paco es bueno.**

S: **Ana sospecha (duda, niega, etc.) que Paco sea bueno.**

(b) *T:* **Importa (es preciso, es raro, etc.) tener sentido práctico.**

S: **Importa (etc.) que Pepe tenga sentido práctico.**

1. Es necesario pensar seriamente en el matrimonio.
2. Vale más estar casado que soltero.
3. Es preciso empeñarse en que estudien mucho los chicos.
4. Yo creo que Ana sueña con casarse con un banquero.
5. Sé que a Policarpo le duelen los dientes y las piernas.
6. Importa seguir siempre adelante.

7. Creemos que Procopio ayudará a Claudio.
8. Es preciso poner el grito en el cielo.
9. Es difícil volar sin alas.
10. Claudio cree que Pura es guapa.
11. Todo el mundo dice que siempre habrá barbas.
12. Sabemos que a Claudio le dan asco los poetas.
13. Es preciso dar la preferencia a una de las chicas.
14. Las chicas están seguras de que todos los hombres son igualmente simpáticos y agradables.

(II) Comprehension

Repeat the sentences correcting false statements, if necessary:

1. He aquí una familia que, según don Procopio, presenta un cuadro en que todo respira paz y felicidad.
2. Sin embargo, Procopio no está contento.
3. Le disgusta que sus hijas estén casadas.
4. Dice que, a los dieciséis años, la mayor parte de las niñas sueñan con casarse con un juez.
5. Lo que es hoy, parece que Procopio tiene el diablo en las piernas.
6. "¡Pues bonitos son los hombres!" quiere decir que los hombres son hermosos.
7. Casta y Pura creen que los poetas son un asco.
8. Procopio por cierto desconoce el apellido de Claudio.
9. Sus dolores le hacen al padre de Claudio poner el grito en el cielo.
10. ¿A qué viene Claudio? Viene a tratar de que le nombren secretario del Ayuntamiento de su pueblo.
11. Si logran esto, padre e hijo podrán hacer lo que les dé la gana temiendo a todo el mundo.

12. Procopio no quiere que Claudio vaya a parar a un hotel. ¡No faltaba más!

13. Según Bécquer, podrá no haber poetas, pero siempre habrá barbas.

14. A Pura le gustan los poetas; en cambio, Claudio es aficionado a los bailes.

15. Claudio ha bostezado porque Bécquer le ha causado una honda impresión.

16. La ley no permite que un hombre se case con dos mujeres.

(III) Questions

Answer with complete Spanish sentences:

1. ¿Qué le disgusta a Procopio?

2. ¿En qué deben pensar sus hijas?

3. Si las mujeres tuvieran más sentido práctico, ¿Cuál sería el resultado?

4. ¿Con qué sueñan la mayor parte de las niñas, a los dieciséis años?

5. Lo que es hoy, ¿qué le parece a Sandalia que tiene Procopio?

6. Según Casta, ¿qué ojos tiene Claudio?

7. ¿Cómo está el padre de Claudio?

8. ¿Qué quiere su padre? ¿Para qué?

9. Según Claudio, ¿cómo son las hijas de don Procopio?

10. ¿Qué no puede consentir Procopio?

11. ¿Qué cosas no le caben en la cabeza a Claudio?

12. ¿A quiénes les preocupa la naturaleza y el destino?

13. Según Bécquer, ¿qué podrá no haber y qué habrá siempre?

14. ¿Por qué siente debilidad Claudio?

15. ¿A cuál de las hermanas da la preferencia?

16. ¿Qué le manda hacer don Procopio a su mujer?

(IV) Word Study

Consulting, if necessary, the bracketed list appearing below, give Spanish infinitives having same derivation as:

adelante, aflicción, agradecimiento, alcance, alegría, amor, aplicación, asiento, através, blando, caricia, cocina, colocación, composición, comunicación, conclusión, confianza, confusión, conocimiento, consejo, contestación, conversación, declaración, destructor, determinación, dictado, disposición, distribución, diversión, división, dolor, elección, enseñanza, explicación, frecuencia, fusil, heredero, ida, importante, libre, mentira, mirada, molesto, movimiento, mudanza, noche, nombre, obligación, oposición, pecado, pensamiento, perdición, preferencia, procedimiento, querido, realidad, resolución, respuesta, reunión, riña, rodilla, salud, satisfacción, seguro, seguido, señal, servicio, sorpresa, suceso, susto, verano, vuelta. [*Infinitives:* adelantar, afligir, agradecer, alcanzar, alegrar, amar, aplicar, sentarse, atravesar, ablandar, acariciar, cocer, colocar, componer, comunicar, concluir, confiar, confundir, conocer, aconsejar, contestar, conversar, declarar, destruir, determinar, dictar, disponer, distribuir, divertir, dividir, doler, elegir, enseñar, explicar, frecuentar, fusilar, heredar, ir, importar, librar, mentir, mirar, molestar, mover, mudar, anochecer, nombrar, obligar, oponer, pecar, pensar, perder, preferir, proceder, querer, realizar, resolver, responder, reunir, reñir, arrodillarse, saludar, satisfacer, asegurar, seguir, señalar, servir, sorprender, suceder, asustar, veranear, volver]

CAPÍTULO DIECISIETE

(1) Audio-Lingual Practice

Review sequence of tenses in your grammar, and repeat each sentence in accordance with the model:

T: **Claudio quiere que salgamos.**

S: **Claudio quería que saliéramos (saliésemos).**

1. Es justo que lo haga Vd.
2. Le dejo (*change to pret.*) para que se ponga a escribir otra vez.
3. Yo insisto en que Pura aproveche más sus clases.

4. ¿Por qué se empeña el padre en que sus hijas sean víctimas del matrimonio?

5. Me alegro de que mis cursos me hayan revelado el misterio de lo ignorado.

6. Casta sospecha que se trate de un idilio de amor.

7. No hay más remedio, pues, sino que Claudio elija.

8. Hemos de salir cuando concluyamos nuestros negocios.

9. Las hermanas no han de casarse a menos que vayan a mi pueblo.

10. Dudo que en Los Ángeles sobren muchachos y falten chicas.

11. En este mundo no hay nadie que, de vez en cuando, no dé un tropiezo.

12. Hacemos todo lo posible para que ella vuelva en sí.

13. Se niega a marcharse a menos que le acompañemos.

14. Conviene que se acostumbren a esforzarse más.

15. Consiento en que haya jóvenes con barba con tal que no den asco con otras tonterías y locuras.

16. Me sorprende que Pepe finja olvidarse de algo que más debe tener en la memoria.

(II) Comprehension

Repeat the sentences correcting untrue statements, if necessary:

1. Claudio tarda en volver del comedor porque suele comer ligero.

2. Procopio le indica cuanto necesita para escribir y Claudio se sienta a comer.

3. Procopio se marcha para que Claudio tranquilamente escriba a su padre.

4. Pura lee sobre los medios de que se vale el diablo para lograr la destrucción de nuestro cuerpo.

5. A Claudio le gustan las rubias menos que las morenas.

6. Una fuerza irresistible le hace a Claudio cogerle la mano a Pura.

7. Claudio quiere probarle a Pura el extraordinario odio que ella le ha inspirado.

8. Al ver a Casta, Claudio dice que va a acostarse un rato porque necesita descansar.

9. Procopio y Sandalia aparecen en el mismo momento en que sus hijas empiezan a insultarse.

10. Procopio cree que sus hijas han reñido porque Claudio ha hecho el amor al mismo tiempo a las dos.

11. Claudio no piensa en casarse porque quiere estar soltero.

12. Las chicas podrán casarse en el pueblo de Claudio porque allí sobran muchachas y faltan chicos.

(III) Questions

Answer with complete Spanish sentences:

1. ¿Con quién tropieza Claudio?
2. ¿Cómo acostumbra a comer?
3. ¿Qué quiere hacer ahora?
4. ¿Dónde tiene cuanto necesita para escribir?
5. Cuando se pone a escribir, ¿quién entra?
6. ¿Qué busca ella?
7. Habiendo hallado su libro, ¿qué se pone a leer?
8. ¿Qué encantos tiene Pura?
9. ¿En qué momento sale don Procopio?
10. ¿Qué exclama?
11. Cuando aparece Casta, ¿qué dice?
12. ¿Qué responde Claudio?
13. ¿Qué pasa entre las hermanas?
14. ¿Qué supone su padre?
15. ¿Qué quiere el padre que haga Claudio?
16. ¿Qué solución ofrece éste?

(IV) Word Study

Match words in column 1 with those of related meaning in column 2:

1	2	1	2
aguardar	bonito	oponerse a	imaginarse
quizás	a fin de	ante	con objeto de
aún	disgustado	en cuanto a	a pocos instantes
sencillo	de repente	reparar en	tener mucho gusto (en)
¡Toma!	en frente	conque	(con) respecto a
lindo	dispuesto a	figurarse	delante de
meter	rápido	locura	complacer
de pronto	colocar	junto a	convidar
suerte	contemplar	cuanto	valerse de
lo que es	acostarse	celebrar	negarse a
delante	blando	de veras	muchas veces
ligero	esperar	agradar	ocultar
para	simple	a fin de	de manera que
suave	fortuna	aprovechar	todo lo que
pronto a	en cuanto a	a menudo	fijarse en
irritado	todavía	a poco	tontería
echarse	¡Vaya!	invitar	de verdad
mirar	acaso	esconder	al lado de

CAPÍTULO DIECIOCHO

(1) Audio-Lingual Practice

Review conditional sentences in your grammar text and respond to the following sentences in accordance with the model:

T: **Si le pido este favor, me lo hará.**

S: **Si le pidiese este favor, me lo haría; si le hubiese pedido este favor, me lo habría hecho.**

1. Si Benites va a Lima, el tesorero le entregará el dinero.
2. Si partimos a las doce, estaremos de regreso a las cinco de la tarde.

3. Si es hombre de pecho y ánimo, se cumplirán sus deseos.

4. Si deja de bailar y salta sobre su caballo, les dará alcance.

5. Si lucha con valor, matará a sus enemigos.

6. Si se envía siquiera una compañía con armas adecuadas, se ha de vencer al enemigo.

7. Si huyes del campo de batalla, te harán matar por cobarde.

8. Si acertamos a matar a Mundofeo y logramos escaparnos del bosque, nos salvaremos.

9. Si el general rompe la orden y arroja los pedazos por la ventana, los recogeremos y nos los guardaremos.

10. Si poseen el español, podrán leer el *Quijote.*

(II) Comprehension

Repeat the unfinished sentences read by the teacher and complete them according to the story:

1. Teniendo en cajas cierta cantidad de dinero, el tesorero de Lima suplicó al general Salaverry que . . .

2. Los montoneros de entonces robaban y mataban a la sombra de . . .

3. Después de escribir algunas líneas sobre la hoja, la . . .

4. Mandó a Benites ir con un sargento y quince soldados por el dinero que había de . . .

5. El general le advirtió que, antes de las cinco de la tarde, le esperaba de . . .

6. Sólo en los ángeles cabe . . .

7. Benites no carecía de . . .

8. Benites era aficionado a las mujeres, y éstas no dejaban de . . .

9. Mientras sus soldados bebían, Benites echaba un . . .

10. De regreso, el capitán volvió a detenerse en la taberna para . . .
11. Al oír los balazos, Benites saltó sobre su caballo y partió como un . . .
12. — ¡Rendirse! — gritó Mundofeo a la vez que su gente se lanzó sobre . . .
13. Cuando los alcanzó Benites, los bandidos ya se marchaban con las mulas en que los soldados habían cargado las . . .
14. En cuanto al sargento, el general le hizo . . .
15. A Benites le decía su conciencia que, de las dos órdenes, merecía . . . del ascenso.

(III) Questions

Answer with complete Spanish sentences:

1. ¿Qué suplicaba el tesorero de Lima?
2. ¿Contra quiénes había que asegurar el dinero?
3. ¿A qué hora aguardaba el general de regreso a Benites?
4. ¿Qué respondió Benites cuando el general le dijo esto?
5. Describa Vd. al capitán Benites.
6. ¿En quiénes únicamente cabe perfección?
7. Deteniéndose, de regreso, en la taberna, ¿qué calculó Benites?
8. Al oír los balazos, a poco de partir los soldados, ¿qué hizo Benites?
9. Diga Vd. lo que ocurrió en lo espeso del bosque antes y después de encontrarse Benites con los que retrocedían en fuga.
10. ¿Qué cuento le llevó el sargento al general?
11. ¿Cómo reaccionó el general?
12. ¿Qué órdenes dictó?
13. Después de leerlas, ¿cuál dijo Benites que merecía?
14. ¿Qué le dice entonces el general?

(IV) Word Study

Match words in column 1 with opposites in column 2:

1	2	1	2
esconder	vuelta	por fortuna	¡vaya (un libro)!
defecto	soltero	mandar	descansar
avanzar	desconocer	aficionado a	desdichado
castigo	feo	saludar	dejarse caer
fortuna	pérdida	consentir	verdadero
tristeza	dentro	gastar	complicado
traer	alejarse	a menudo	obedecer
moderno	retroceder	levantarse	insolencia
ida	descubrir	olvidar	indiferente a
cumplir	desgracia	huir	desaparecer
fuera	retirar	dichoso	despedirse
casado	encargar	falso	enterarse
ligero	antiguo	amabilidad	raras veces
conocer	alegría	sencillo	por desgracia
ganancia	premio	aparecer	oponerse
lindo	mérito	cansarse	dar alcance
acercarse	lento	¡qué (libro)!	ganar

Vocabulario

Notes

1. This vocabulary is complete except for a relatively few words used only the one time where translated.
2. A dash indicates the title word. Thus under the word **manera, de — que** means **de manera que.**
3. Students should note that **ch**, **ll**, and **ñ** will be found only after **c**, **l**, and **n**, respectively.
4. Gender indications are not given for masculine nouns denoting male beings, or ending in **o**; or for feminine nouns denoting female beings, or ending in **a**, **ión**, **d**, **umbre**, **ez**.
5. The feminine form of adjectives is not given if it is the same as the masculine, or if the masculine ends in **o** and the feminine in **a**.
6. **(i)**, **(ie)**, **(ue)** indicate stem changes in certain verbs.

Abbreviations

ab.	about		*ind.*	indicative
adj.	adjective		*inf.*	infinitive
adv.	adverb		*lit.*	literally
art.	article		*m.*	masculine (noun)
aux.	auxiliary		*neut.*	neuter
Ch.	Chapter		*obj.*	object
col.	column		*p.*	page
cond.	conditional		*part.*	participle
conj.	conjunction		*pp.*	past participle
def.	definite		*pers.*	person
dem.	demonstrative		*pl.*	plural
dim.	diminutive		*plup.*	pluperfect
dir.	direct		*pr. n.*	proper noun
excl.	exclamatory		*prep.*	preposition
f.	feminine (noun)		*pres.*	present
fam.	familiar		*pret.*	preterit
fig.	figurative		*pron.*	pronoun
fn.	footnote		*rel.*	relative
fut.	future		*sg.*	singular
imp.	imperfect		*subjve.*	subjunctive

Vocabulario

A

a to, at, for, on, in, with; (*after verbs of separation*) from, of; *personal* **a** *not translated*; **a poco** shortly afterward; **a los (15) días** (15) days later

abajo down, below, beneath; ¡ — ! come down!

abandonar to abandon, leave, desert, give up

abandono abandonment, abandon

abanicar to fan

abanico fan; — **de paja** straw fan

abierto (*pp. of* **abrir**) open; opened

ablandar to soften

abrazar to embrace

abril *m.* April

abrir to open

absoluto absolute

abuela grandmother

abuelo grandfather

abundante abundant

aburrir to bore

abuso abuse; **esto es un** — this is outrageous

acá, hacia acá here, this way

acabar to finish, end; — **de** +*inf.* to have just+*pp.*: **acabo (de traer)** I have just (brought); **acababa (de traer)** I had just (brought); — **por**+*inf.* to end up by+ *pres. part.*

academia academy

acariciar to caress, fondle

acaso perhaps, perchance, by chance; **por si** — just in case, if by chance

accidente *m.* accident

acción action, act

aceptar to accept

acerca de about (*concerning*)

acercar to draw up, bring near; **-se (a)** to approach, come near (to), draw near(er)

acertar (ie) to hit (*the mark*), succeed (in)

acomodar to arrange; **-se** to adapt oneself, settle down (*in a chair, etc.*)

acompañar to accompany, go (come) with

aconsejar to counsel, advise

acordarse (ue) (de) to remember

acostar (ue) to lay down, put to bed; **-se** to lie down, go to bed

acostumbrado usual, accustomed

acostumbrar to be accustomed

acto act

actual present, present-day

acudir to come over (*hastily*), rush (*to investigate, help, etc.*)

acuerdo agreement; **de** — **con** in accord with, according to

acuerdo: me —, **te -as,** *etc. pres. ind. of* **acordarse**

adecuado adequate

adelantar to advance, make progress, to pay beforehand

adelante forward, ahead; **en** —, **de hoy (de aquí) en** — from now on, henceforth

adelanto advance, progress

además besides, moreover; — **de** besides
adentro inside (*generally motion to*)
adiós good-by
admirable wonderful
admiración admiration
admirar to admire, to wonder at
adonde, adónde where (*generally motion toward*)
adorar to adore, worship
adquirir (ie) to acquire
adversidad adversity
advertir (ie, i) to warn, note, inform, tell; to remark
advierto, adviertes, etc. *pres. ind. of* **advertir**
afán *m.* solicitude, anxiety, eagerness; **con —** anxiously, solicitously; **cargados con mi — ** filled (*overflowing*) with my anguish, deep yearning
afecto fondness, affection
aficionado (a) fond (of), devoted (to); *m.* fan
afirmar to state, declare
aflicción affliction, grief
afligir to grieve, trouble, afflict; **no hay que -se** there is no need to worry
agosto August
agotar to exhaust
agradable pleasant
agradar to please
agradecer to thank for, be thankful for
agua water
aguardar to wait, wait for, await, expect
¡ah! ah! oh!
ahí there
ahogar to choke, stifle, smother
ahora now; **— mismo** this very moment, right now
ahorcado hanged, hanging
airado angry
aire *m.* air; **al —** in the air

ajeno another's, someone else's, other people's
al (=**a**+**el**) to the, on the; **al**+*inf.* on (*upon*)+*pres. part.*
alabar to praise
alarma alarm; **timbre de —** alarm bell
alba dawn; **misa de —** early mass
albóndiga meat ball
alcance *m.*, **dar —** to overtake
alcanzar to overtake, reach
alcoba bedroom
alegrar to gladden; **-se (de)** to be glad
alegre merry, gay, happy, of a happy disposition
alegría merriment, gaiety, joy, happiness; **-s** merry (gay) manifestations
alejarse to draw away, go away, move away
alfiler *m.* pin
algo something, somewhat
alguien someone, anyone
algún *used for* **alguno** *before m. sg. n.*
alguno some, any, someone, anyone
aliento breath, courage, vigor
alma soul; (*often to be translated*) heart
almorzar (ue) to have (eat) lunch
almuerzo lunch
alrededor de around
alto high, tall; *m.* halt (*military*); **hacer —** to halt
altura height
alumbrar to light, light up
alumno pupil, student
allá there (*usually of motion toward*); over there
allí there; **por —** there, thereabouts
amabilidad amiability, kindness
amable kind, amiable
amante loving
amar to love

amargo bitter

amargura bitterness, sorrow

amarillo yellow

ambiente *m.* environment, atmosphere

ambos both

amenazar to threaten

americano American

amiga, amigo friend

amiguita *dim. of* **amiga** young friend

amistad friendship

ama mistress (*of a servant*), housekeeper

amo master, owner

amor *m.* love; **— propio** conceit, pride; **hacer el —** to make love

anciana, anciano elderly, old; *m.* elderly man; *f.* elderly woman

ancho broad, wide

andar to walk, walk about, go, to be; **no anda lejos** is not far away

andén *m.* platform (*of railway station*)

ángel *m.* angel

angustia anguish

animal stupid, dumb; *m.* animal, stupid fellow (woman)

animalito *dim. of* **animal**

animar to animate, encourage, urge

ánimo spirit, courage

anoche last night

anochecer to grow dark; **al —** at nightfall

ante before, in the presence of

anterior preceding, former

antes before (*in time*), first; rather; **— de** before; **cuanto —** as soon as possible; **— (de) que** before

antigüedad antiquity, antique

antiguo old, antique

antipático disagreeable, unpleasant

antítesis *f.* antithesis

anunciar to announce

añadir to add

año year; **el — pasado** last year; **tener . . . -s** to be . . . years old

apagar to put out (*light, fire, etc.*); *fig.* to quench

aparecer to appear

apartado secluded, distant

apartar to put aside, move out of the way; **-se** to withdraw, move away

aparte aside

apenas hardly, scarcely

apéndice *m.* appendix

aplicar to apply

apoyar to support, aid, lean

apoyo support, aid

aprender to learn; **se aprende mucho** one learns (you can learn) a lot

apresurarse (a) to hurry

aprisa fast, quickly

apropiado appropriate

aprovechar, -se de to profit by, make use of

aquel, aquella, -os, -as that, those (*at a distance*)

aquél, aquélla, -os, -as that one, those; the former

aquello that (*thing, idea, episode, etc.*)

aquí here; **por —** around here, this way; **he —** behold, here is

árbol *m.* tree

arco arch

argentino Argentinian

argüir to argue, reason, conclude

arguyo, arguyes, *etc. pres. ind. of* **argüir**

arma weapon; **-s** arms

armar to arm

arrancar to pull out

arrastrar to drag, drag off

arreglar to arrange, fix

arreglo arrangement

arriba up, above, upstairs; **hasta —** to the top
arrodillarse to kneel
arrojar to throw
arroz *m*. rice; **— con leche** rice pudding
artículo article
artista artist
artístico artistic
ascender to rise; (*transitive*) to promote
asco nausea; **dar —** to disgust; **¡qué — son!** how disgusting they are!
asegurar to assure; to insure
así so, thus, in this (that) way, like this (that); **— como** as well as
asiento seat; **tome Vd. —** have a seat
asistir (a) to attend
asomar to begin to appear, become visible, to put out (*one's head out of a window, door, etc.*); **-se a** to look out of, lean out of, appear at, emerge partly
asombro astonishment, amazement
asomo appearance, sign, indication
aspecto appearance, looks, aspect
aspiración aspiration
Astronomía astronomy
asunto matter, affair, subject (*matter*), theme
asustar to frighten, scare; **-se** to be (*get*) frightened, be (*get*) scared
atar to tie
atención attention, courtesy; **en — a que** considering the fact that
atender (ie) to attend (to), show courtesy (*to*); **atendiendo a** showing regard for, considering
atracción attraction
atraer to attract
através across
atravesar (ie) to cross
atreverse (a) to dare, have the courage, venture

atrevido daring, bold
atroz atrocious
aumentar to increase
aun (*written and pronounced* **aún** *when stressed*) even, still, yet
aunque although, though, even though, even if
ausencia absence
autor author, originator
autoridad authority
avanzado advanced
ave *f*. bird
aventura adventure
averiguar to investigate
ávido avid, eager
avisar to inform, send word, let (*someone*) know, notify
aviso notice, announcement
¡ay! oh! (*expressing pain or grief*), alas!; **¡ay de (mí, Pepe,** *etc.***)!** poor (*me, Joe, etc.*)!
ayer yesterday
ayuda aid, help
ayudar to help, aid
azote *m*. lash
azul blue

B

bailar to dance
baile *m*. dance
bajar to go (*come*) down
bajo low, short (*of stature*); *prep*. under; **por lo —** in a low voice
balazo bullet shot or wound; **-s** (*explosion of*) bullets
balcón *m*. balcony, window (*with balcony*)
bandera flag
bandido bandit
banquero banker

bañar to bathe; **-se** to bathe, take a bath

baño bath

barba beard, chin

barbaridad barbarity; **es una —** it's something awful

barco boat

bastante enough, quite, quite a bit

bastar to suffice, be enough

batalla battle; **campo de —** battle field

beber to drink

belleza beauty

bello beautiful

bendecir to bless

bendito blessed

besar to kiss

beso kiss

bien well, quite, perfectly, very, all right; **está —** all right; **pues —** well then; *m.* good, benefit

billete *m.* ticket, bill (*money*)

blanco white

blando soft (*to the touch*), delicate, kindly, gentle

boca mouth; **telón de —** drop curtain

boda(s) wedding *see ch. 16, fn. 7*

bolsillo pocket

bombón *m.* bonbon, piece of candy

bondad kindness, goodness

bonito pretty

bordado embroidered

borde *m.* edge

bosque *m.* forest, woods

bostezar to yawn

bostezo yawn, yawning

botella bottle

brazo arm; **al —** on the (*his, her, etc.*) arm; **cogió (a Andrés) del —** he grasped (Andrew) by the arm

breve brief, short

brillante shining, sparkling

brillar to shine, sparkle

broma joke

bruto brutal, beastly; *m.* beast, blockhead

buen *short form of* **bueno**

bueno good, kind; **¡—!** all right! (*very*) well! O. K.! fine!; **estar —** to be well

burla jest, joke; **estar para -s** to be in a mood for jests

burlarse to mock, jest

burocrático bureaucratic

busca search; **en — de** in search of

buscar to seek, look for, to get

C

caballería chivalry

caballerizo equerry, head groom (*of a stable*)

caballero gentleman, sir

caballo horse; **a —** on horseback

cabello, -s hair

caber to be contained (in), find room (in), fit; **no cabría el letrero** there would be no room for the sign; **cabe perfección** perfection is possible; **cabe añadir** there is need to add; **no caba duda** there is no doubt

cabeza head

cabo extremity, end; **al —** at last; **al fin y al —** at long last, after all

cada each, every; **— uno** each one

cadete cadet

Cádiz *important seaport (on the Atlantic) in s. w. Spain*

caer to fall; **-se** to fall down; **dejarse —** to drop, slump (*into a chair, on a sofa, etc.*)

café *m.* coffee, café

caja box, case

calabaza pumpkin

calcular to calculate, figure, think

caliente warm, hot

calma calm, quiet; **con —** calmly; **¡ — !** compose yourself!

calmar to quiet

calor *m.* warmth, heat; **hace (mucho) —** it is (very) hot (*of temperature*)

callar to be silent, keep still; **¡calla!** *or* **¡calle!** well! what's this!

calle *f.* street

cama bed

camarero valet

camarón *m.* shrimp

cambiar to change, exchange

cambio change, exchange; **en —** on the other hand

caminar to travel, go, walk

camino road, way

camisa shirt

campamento camp

campana bell

campo field, country

canción song

cansado tired

cansar to tire out; **-se** to get tired

cantar to sing

cantidad quantity, sum

canto song, singing, chant

capa cape, cloak

capacidad capacity

capaz capable

capital *m.* capital (*money*); *f.* capital city

capitán captain

capitaneado captained, headed, commanded

capítulo chapter

caprichoso capricious; *m. & f.* capricious man (woman)

cara face; **tener — de** to look like

carácter *m.* character

¡caramba! goodness! the dickens!

cárcel *f.* jail

carecer (de) to lack, be in need of

carga freight

cargar to load, to charge (*a battery, etc.*); *fig.* to bore, annoy; **cargados con mi afán** filled (*overflowing*) with my deep yearning

cargo load; charge (*obligation*); charge (*accusation*); **— de conciencia** sense of guilt, remorse

caricia caress, tender pat

caridad charity, mercy, pity

cariño affection, love; **con —** affectionately

cariñoso affectionate

carne *f.* meat

caro dear, expensive

carpintero carpenter

carrera career, vocation; race, running

carro cart

carta letter; **a la —** à la carte

cartero postman

casa house, home, (*business*) firm; **en —** (*at*) home; **en — de (mi tío)** at (my uncle's)

casado married; **recién -s** newlyweds

casar to marry (*give away in marriage*); **-se (con)** to marry, get married (*to*)

casi almost

caso case, affair, incident; **hacer — a (de)** to pay attention to

castigar to punish

castigo punishment

casualidad chance, coincidence; **por —** perchance

catástrofe *f.* catastrophe

categoría category

catorce fourteen

causa cause; **a — de** because of

causar to cause; **me ha causado** you have produced in me

ce *name of the letter "c"*
ceder to yield, give up, give in
cegar (ie) to blind
celebrar to celebrate, applaud, to be glad of
célebre celebrated
cenar to eat supper, have for supper
centavo (*1/100 part of a* **peso** *in Spanish America*) cent
centro center
cera wax
cerca near, nearby; — **de** near, nearly
cerdo hog; **chuletas de** — pork chops
cerrar (ie) to close, shut
Cervantes Saavedra, Miguel de (1547–1616) *is one of the most celebrated figures in world literature. Next to his "Don Quijote de la Mancha," referred to familiarly as the "Quixote" (el "Quijote"), his "Novelas ejemplares" are the most famous of all his works.*
cerveza beer
cesar to cease, stop; **sin** — incessantly
cesta basket
ciego blind
cielo heaven, sky; *fig.* darling
cien *short form of* **ciento** one hundred
ciencia science, wisdom
cierto certain, sure, true, a certain; **por** — **(que)** certainly, surely, indeed
cinco five; **las** — **(de la tarde)** five o'clock (in the afternoon)
cine *m.* moving-picture theatre, movies; **artista de** — movie actress (actor)
circunstancia circumstance
ciudad city
claramente clearly, distinctly
claro, clear, distinct, bright, light (*in color*); — **(que)** sure, of course
clase *f.* class, kind, sort

cobarde cowardly; *m.* coward
cobrar to collect, gather, to charge
cocer (ue) to cook, to boil
cocido *see ch. 3, fn. d*
cocina kitchen, cuisine
cocinero cook
coctel *m.* cocktail
coche *m.* carriage, cab, coach, car (*automobile*)
coger to catch, seize, pick up, take hold of, grasp
cola tail, train
colaboración collaboration
colegio (*boarding*) school
colgar (ue) to hang
coliflor *f.* cauliflower
colocación position
colocar to put, place; **estar colocado (bien)** to hold a (*good*) position
color *m.* color
colosal colossal
combate *m.* fight, combat
comedia play, comedy
comedor *m.* dining-room
comentario commentary, comment
comenzar (ie) to commence, begin
comer to eat, dine, eat (have) dinner; **-se** to eat up
cometer to commit
comida food, dinner
comisión commission
como as, since, like
cómo how? why? what? what is that?
cómodamente comfortably
cómodo comfortable
compañero companion, chum, friend
compañía company
comparar to compare
complacer to please, to humor

completamente completely

complicado complicated

cómplice accomplice

componer to compose (*conjugated like* **poner**)

composición composition, repair

comprador buyer

comprar to buy

comprender to understand, realize; **comprenda Vd.** (*command*) understand, you must realize

comunicación communication

comunicar to communicate

con with, by

conceder to grant, give, concede

concentrado concentrated

conciencia conscience

concluir to conclude, finish

conclusión conclusion, end

concluyo, concluyes, *etc. pres. ind. of* **concluir**

condición condition

conducir to conduct, lead

confesar (ie) to confess

confesión confession

confianza confidence, faith, intimacy

confiar to confide, intrust, to trust; **— a** to confide in

confundir to confuse

confusión confusion, disorder

congoja anxiety, anguish

conmigo with me

conocer to know, be acquainted with, recognize, to meet (*get acquainted with*); **se conoce** it is evident

conocimiento acquaintance, knowledge

conozco, conoces, *etc. pres. ind. of* **conocer**

conque so then, and so (*also written* **con que**)

consecuencia consequence, result; **a — de** because of, as a result of

conseguir (i) to obtain, succeed in, get

consejo advice; **-s** advice, counsel(ing)

consentir (ie, i) to consent, permit; **— (en)** to consent (to)

conservar to preserve, keep

consideración consideration; **teniendo en —** considering, in view of

considerar to consider, regard

consolar (ue) to console, comfort

constante constant

consternación consternation

constituir to constitute

construir to build

consuelo consolation, comfort

consultar to consult; **-se** to consult each other

contar (ue) to count, to tell (a story); **— con** to depend on, rely on

contemplar to contemplate, observe, view, gaze at, look on

contener to contain, hold in, check

contentísimo extremely happy, most satisfied

contento satisfied, contented, glad

contestación answer, reply

contestar to answer

contigo with you (*fam. sg.*)

continuar to continue

contorsión contortion; **hacer -ones (con)** to twist

contra against

contrario contrary, opposite; **lo —** the opposite; **de lo —** otherwise

contribución tax

convencer to convince

conveniente suitable

convenir to suit, be advisable, be desirable; **— (en)** to agree; **conviene** it is well, it is advisable

convento convent

conversación conversation

conversar to converse

convidar to invite

copa glass, goblet

copiar to copy

coquetonamente coquettishly

corazón *m.* heart; *fig.* courage; **hija de mi —** my darling daughter

cordero lamb

coro chorus; **a —** in chorus

corona crown

correo mail; **echar al —** to mail

correr to run; **corriente** running, current, ordinary

corresponder to correspond, return a favor

correspondiente corresponding

corrida race

corriente *see* **correr**

cortar to cut

corte *f.* court

corto short

cosa thing, matter, affair, doing, idea; **otra — something** else, anything else

costa coast

costar (ue) to cost

costumbre habit, custom; **de —** usual; **tener por —** to be accustomed

crea, creas, *etc. pres. subjve. of* **creer**

crecer to grow, increase

creer to believe, think; **ya lo creo** I should say so, of course

creyendo believing; **sigue — continues** to believe

criada maid (*servant*); **pícara de la —** rascally maid

criado servant

criar to raise, bring up, to create

criatura creature, baby

crimen *m.* crime

cristal *m.* windowpane, glass

croqueta croquette

crucé, cruzaste, *etc. pret. of* **cruzar**

cruel cruel

cruz *f.* cross

cruzar to cross

cuadra (*S. A.*) block (*of houses*)

cuadro picture, scene (*of a play*)

cual: el —, la — who, which; **los -es, las -es** who, which

cuál which? which one? what one?

cualquier(a) any, any one

cuando when; **¿cuándo?** when?

cuanto as much as, all that; **-s** as many as, all the (... that); **unos -s** a few; **en — as** soon as; **en — a** as for; **— antes** as soon as possible

¿cuánto? how much?; **¿-os?** how many?

cuarenta forty

cuarto quarter, fourth, room; **las dos y — a** quarter past two

cuatro four; **las — four** o'clock

cubierto *pp. of* **cubrir** covered; *m.* cover, table service

cubrir to cover

cuchara spoon

cuchillo knife

cuello neck, collar

cuenta account, bill; **darse — (de)** to realize (*become aware*), understand

cuento story, tale

cuerdo cord, string

cuerpo body

cuestión problem, question (*point*)

cuesto, cuestas, *etc. pres. ind. of* **costar**

cuidado worry, care

cuidar (de) to take care (of), be careful (to)

culpa guilt, blame; **tener la —** to be to blame; **echar(le) la — (a uno)** to blame, throw the blame (on)

culpado guilty

cumplimiento completion, fulfillment, compliment

cumplir, — con to fulfill, complete, keep (*a promise*), carry out, fulfill (*one's duty*); **se cumplirá** it will be carried out, we'll get it done

cura *m.* priest; *f.* cure

curar to cure

curiosidad curiosity

curioso curious

cursar to study (*a course of studies*)

curso course, run, lapse, course (*of studies*), subject; **perdí un —** I "flunked" a subject

cuyo whose

Ch

chica small; *f.* girl

chico small; *m.* boy, youngster

chocolate *m.* chocolate

chuleta chop, cutlet

D

D.=don

dama lady (*of upper class*)

dañar to hurt, damage

daño harm, injury; **hacer —** to hurt; **hacerse — a sí mismo** to hurt oneself

dar to give, to hit, to strike (*the hour*); **— con** to find, come upon; **lo mismo da** it amounts to the same thing; **— en** to fall into, persist in

daré, darás, *etc. fut. ind. of* **dar**

daría, darías, *etc. cond. of* **dar**

de of, from, about, by, as, than; (*after a superlative*) in

dé, des, *etc. pres. subjve. of* **dar**

debajo (de) under, underneath

deber *m.* duty

deber to owe, ought, should; (*aux. of conjecture*) **— de+***inf.*: **debe de tener** (= **tendrá**) he must have, he probably has; **he debido** (**has debido,** *etc.*) **hacerlo** I (*you, etc.*) should have done it

débil weak

debilidad weakness, hunger

decente(mente) decent(ly)

decidir, -se a to decide (to), determine (to)

décimo tenth

decir to say, tell; **es —** that is to say

declaración declaration of love, proposal

declarar to declare, state

dedicar to dedicate, devote

dedo finger

defecto defect, fault

defender (ie) to defend

dejar to leave, let, allow, to put down; **— caer** to drop; **-se caer** to drop or slump (*into a chair, on a sofa, etc.*); **— de** +*inf.* to stop, fail to

del=de+el of the, from the

delante in front, present; **— de** in front of

deleitar to delight

delirio delirium, madness; **con —** madly

demás rest; **los (las) —** the remaining, the other(s); **lo —** the rest; **estar —** (*or de más*) to be superfluous, not be needed

demasiado too, too much, excessive; **-s** too many

déme (*pres. subjve. of* **dar**+**me**) Vd. give me

demonio devil, demon; **¡qué —!** what the deuce!

demostrar (ue) to demonstrate, show

dentro inside, within, off-stage

departamento department, compartment

derecho right, straight; *m.* right (*privilege*); **la -a** the right hand, the right side

derivado derived

desaparecer to disappear

desarreglar to disarrange, upset

desatar to untie

descansar to rest

descanso rest

desconocedor **(de)** ignorant (of), un-
acquainted (with)

desconocido unknown

descortés discourteous, impolite

descubrir to discover, disclose

descuidar to be careless, to be carefree;
descuide Vd. don't worry

desde from; (*in time*) from, since; **— que**
since, ever since

desear to desire, wish

desengaño disillusionment

deseo desire, wish

desesperación despair

desesperadamente desperately

desesperado desperate

desesperarse to despair

desgracia misfortune; **por —** unfortunately

desgraciado unfortunate, wretched; *m.*
wretch

deshonroso dishonorable

desierto desert

desocupado unoccupied, free

despacio slowly

despedida farewell, leave-taking

despedir (i) to dismiss, send away; **-se (de)**
to say goodby (to)

despegar to unglue; *fig.* to open

despertar (ie) to awaken, wake up; **-se** to
wake up

despidiéndose *pres. part. of* **despedirse**

despierto awake

despótico despotic, tyrannical

despreciar to scorn

desprecio contempt, scorn

después after(ward), later, then; **— de** after

destino destiny

destrucción destruction

destructor destructive

destruir to destroy

desván *m.* garret

detalladamente in detail

detener to detain, hold back, stop (*someone
else*); **-se (a)** to stop (to)

determinación determination, firmness

determinar to determine

detrás behind; **— de** behind, after

devocionario prayer book

devolver (ue) to give back

devuelvo, devuelves, *etc. pres. ind. of*
devolver

di, diste, dio, *etc. pret. of* **dar**

día *m.* day; **al segundo —** on the second day;
al — siguiente (próximo) on the following
day, on the next day

diablo devil; **tener (llevar) el — en el cuerpo**
to be possessed by the devil, be un-
bearable

dialogado dialogized, in dialogue form

diálogo dialogue

diario daily

diciendo *pres. part. of* **decir**

dictado dictation

dictar to dictate

dicha happiness, luck

dicho *pp. of* **decir** said, aforesaid; **mejor —**
or rather

dichoso happy, lucky (*sometimes used
ironically;* blessed)

dieciocho eighteen

dieciséis sixteen

diecisiete seventeen

diente *m.* tooth

diez ten; **las — y media** half past ten

diferencia difference

diferenciar to differentiate; **-se** to differ

diferente different

difícil difficult

dificultad difficulty

difunto deceased, dead

diga, digas, *etc. pres. subjve. of* **decir**

digno worthy

digo, dices, *etc. pres. ind. of* **decir; digo** I mean; ¡ **—** ! I say! well!

dije, dijiste, *etc. pret. of* **decir**

dimensión dimension

dinero money

Dios God; **por —** for Heaven's sake; ¡ **— mío!** my Heavens!

diosa goddess

diré, dirás, *etc. fut. ind. of* **decir**

dirección direction; **en — a, con — a** in the direction of, towards

director director, manager

diría, dirías, *etc. cond. of* **decir;** ¿**qué se diría?** what would be said? what would people say

dirigir to direct; **-se a** to go to, make one's way to; to address (*a person*)

dirijo: me —, te diriges, *etc. pres. ind. of* **dirigirse**

discreto discreet, prudent; **poco —** indiscreet

disgustar to displease, annoy

disgusto annoyance, displeasure; **con un — terrible** terribly annoyed

disponer to arrange, to dispose, to direct (*an order*), to prescribe (*medicine*); **— de** to have (*at one's disposal*); **podría -se (una orden)** (an order) could be directed, could be issued

disposición disposal, disposition, order

dispuesto *pp. of* **disponer** inclined, ready

distancia distance

distinguir to distinguish

distinto different

distracción distraction, amusement

distraerse to distract oneself, amuse oneself

distribución distribution

distribuir to distribute, pass out

diversión diversion, entertainment

diverso different; **-s** several

divertir (ie, i) to divert, amuse; **-se** to have a good time

dividir to divide

divino divine

división division

doble double

doce twelve

doctor doctor

doler (ue) to hurt, distress, ache

dolor *m.* pain, ache, sorrow

doloroso painful, distressing

dominar to control

domingo Sunday

don *title used only with given name of a man; m.* gift, boon

donde where, in which; **por —** through the same place through which; **dónde** where?

doña *title used only with given name of a woman*

dormido asleep, sleeping

dormir (ue, u) to sleep; **-se** to fall asleep

dos two; **las —** two o'clock; **los (las) —** both

doy, das, *etc. pres. ind. of* **dar**

duda doubt; **sin —** doubtless, undoubtedly

dudar to doubt

dueño, dueña owner, proprietor (proprietress)

duermo, duermes, *etc. pres. ind. of* **dormir**

dulce sweet, gentle; *m.* sweets, sweetmeats, candy (*especially if used in pl.*)

dulzura sweetness

duramente harshly, severely

durante during

durar to last

duro hard, severe; *m.* (=five **pesetas**) dollar

E

e and (*used before words beginning with* **i** *or* **hi**)

eco echo

echar to throw, throw out, to pour, to lay (*blame*); **-se** to lie down; **-se a** (**reír, llorar,** *etc.*) to start (to), burst out (*laughing, crying, etc.*); **— a perder** to ruin; **— de menos** to miss, long for; **— un trago** to take a sip

edad age

edificio building

educar to educate, bring up

efecto effect; **en —** in fact, indeed

eh eh!; ¿eh? eh? see? understand?; what did you say?

ejecutar to execute

ejemplo example; **por —** for example

ejercicio exercise

ejército army

el, la, los, las, lo *art.* the; **el, la (los, las) de** that (those) of; **lo de** the matter of; **el (la) que** he (she) who, the one that; **los (las) que** those who, the ones that, **lo que** that which, what

él he, it; **ella** she, it; **ellos, ellas** they; *after a prep.* **él** him, it; **ella** her, it; **ellos, ellas** them; **ello** *neut.* it

elección election, choice

eléctrico electric

elegante elegant

elegir (i) to choose, elect

elevado elevated, high

elevar to raise, hoist

elija, elijas, *etc. pres. subjve. of* elegir

embargo: sin — nevertheless, however

emoción emotion

emocionado moved, overcome with emotion

emocionante moving, touching

empapar to soak

empeñar to pledge, mortgage; **-se (en)** to insist (on)

empezar (ie) to begin

empiezo, empiezas, *etc. pres. ind. of* empezar

emplear to employ, use

empleo employment, use

emprender to undertake, start out (*on a trip*)

en in, into, on, upon, by, at

enamorar to enamor, inspire love; **-se de** to fall in love with

encaminar to direct; **-se a (hacia)** to go to (toward)

encantador charming, enchanting

encanto charm

encargar to charge, order; **encargado de** in charge of

encargo order, charge, commission, request

encender (ie) to light, start (*a fire*), turn on (*a light*)

encima (de) on top (of), above, over

encogerse (de hombros) to shrug (*one's shoulders*)

encontrar (ue) to find, come upon; **-se** to find oneself, be; **-se con** to meet, come upon; **-se con que** to be confronted with the fact that

encuentro encounter, meeting

encuentro, encuentras, *etc. pres. ind. of* encontrar

enemigo enemy

energía energy

enero January

enfadado angered, angry

enfadarse to get angry

enfado anger; **con —** angrily

enfermera nurse

enfermo ill, sick

enfrente (de) in front (of), opposite

engañar to deceive

enhorabuena congratulations; **sea —** (*lit.*, may it be in a good hour) congratulations

enojar to anger; **-se** to become angry

enojo anger

enorme huge

ensalada salad

enseñanza teaching

enseñar to show, to teach

ensueño illusion, dreaming

entender (ie) to understand; **se entiende** it is understood, obviously

entendimiento understanding, intelligence

enterar to inform; **-se (de)** to find out

entero entire, whole

enterrar (ie) to bury

entierro burial, funeral

entonces then, at that time

entrada entrance

entrar to enter, go (come) in; **-se** to enter (*impetuously*); (*stage*) to exit (*impetuously*)

entre between, among

entregar to deliver, hand over, give

entretanto meanwhile, in the meantime

entretenido entertaining, amusing, pleasant

entusiasmarse to become (*get*) enthusiastic

enviar to send

enviara, enviaras, *etc. imp. subjve. of* **enviar**

envidia envy

envidiar to envy

envío remittance, consignment (*of goods*)

episodio episode

época epoch, period

equipaje *m.* baggage

equivocación mistake

equivocarse to be mistaken, be wrong

era, eras, *etc. imp. ind. of* **ser**

error *m.* error

escalera stairway

escándalo scandal; **es un —** it's shocking

escapar(se) to escape, get away

escena scene, stage

escenario stage

escoger to choose, select

esconder to hide

escribir to write

escritor writer

escuadrón *m.* squadron, troop of cavalry

escuchar to listen

escudero squire

escuela school

ese, esa (*generally near person addressed*) that; **esos, esas** those

ése, ésa that one, that fellow (girl, woman) (*Referring to persons, it is used with derogatory intent*)

esencial essential; **lo —** the essential part

esforzarse (ue) (en, por) to make an effort (to)

esfuerzo effort

eso *neut.* that; **— es** that's it; **— sí** that's true; **por —** therefore, that is why; **¿no es —?** isn't that it?

espada sword

espalda shoulder, back; **-s** back; **de -s** from behind; **de -s a** with back turned to

espantar to frighten; **-se** to be astonished, be frightened

espanto fright

espantoso frightful, dreadful

España Spain

español Spanish; *m.* Spaniard; Spanish
(*language*)

especial special

especialidad specialty

espectador spectator

espejo mirror

esperanza hope, expectation

esperar to hope, to wait, wait for

espeso thick, dense; lo — the dense part

espíritu *m.* spirit, mind

esponja sponge

esposa wife

esposo husband; -s husband and wife

esquina corner

estación (*railroad*) station, season (*of the
year*)

estado state, condition; el — de las mujeres
if a woman is married or single; Estado
Mayor General Staff Office; Estados
Unidos United States

estar to be; — por to be in a mood for;
— para (+*inf.*) to be about to; -se
quieto to restrain oneself, behave

este, esta this (*near speaker*); estos, -as
these

éste, ésta this one, the latter, he (she);
éstos, -as these, the latter, they

esté, estés, *etc. pres. subjve. of* estar

estése *from* estarse

estómago stomach

estrecho narrow, tight; *fig.* intimate

estrella star

estudiante student

estudiar to study

estudio study

estuve, estuviste, *etc. pret. of* estar

eterno everlasting, eternal

Eva Eve

evitar to avoid

exactamente exactly

exacto exact

exaltar to exalt

examen *m.* examination

examinar to examine

excelente excellent

excelentísimo most excellent

excepción exception

exceptuar to except

exclamar to exclaim

excusado needless

exigir to require, demand

existencia existence

existir to exist, be

experiencia experience

explicación explanation

explicar to explain

exponer to expose, to expound

expresar to express

expresión expression

extender (ie) to extend, hold out

exterior exterior, external; *m.* exterior,
outside

externo *see ch. 5, fn. c*

extienda, -as, *etc. pres. subjve. of* extender

extranjero foreign; *m.* foreigner, foreign
lands; en el — abroad

extrañar to surprise, to be surprised (at)

extraño strange

extraordinario unusual

extremar to carry to an extreme

extremo extreme, utmost point, furthest
end, highest degree

F

fácil easy

falda skirt

falso false

falta fault, lack, failure; **(no) hace —** there is (no) need; **me (te,** *etc.***) hace —** I (*you,* *etc.*) need

faltar to lack, be lacking; **— (a)** to be absent (from), miss; **me faltaban** I needed; **sin que falte (un centavo)** without (*a cent*) missing; **¡no faltaba más!** what an idea! that's the last straw!

falte, faltes, *etc. pres. subjve. of* **faltar**

falto de lacking in, without

fama fame, reputation

familia family

famoso famous

fantástico fantastic

farol *m.* lantern

favor *m.* favor; **por —, haga Vd. el —** please; **¿me (nos) hace Vd. el —?** will you please . . .?

fe *f.* faith; **buena —** honesty, rectitude

felices *pl. of* **feliz;** good morning (afternoon)

felicidad happiness

felicitación congratulation, felicitation

Felipe II (1527–1598) *was the son of Charles V* (*of the Holy Roman Empire*) *whom he succeeded on the Spanish throne in 1556. During his reign Spanish prestige continued to grow politically as well as culturally.*

feliz happy

feo ugly

ferrocarril *m.* railroad

fiarse (de) to trust

fideos spaghetti

fiel faithful

fiesta holiday, feast, celebration

figura figure, appearance

figurar to figure, be included; **-se** to imagine

fijar to fix (*a price, etc.*); **-se** to notice; **-se en** to notice, pay attention to

filete *m.* (*tenderloin*) steak

fin *m.* end, purpose; **en —** in short; anyway, well; **por —, al —** finally, at last; **sin —** endless; **a — de** in order to

fingir to pretend, feign

fino fine, nice, courteous

fío: me —, te fías, *etc. pres. ind. of* **fiarse**

firmar to sign

firme firm, solid

flaco thin, lean, feeble

flor *f.* flower; *fig.* compliment

fondo bottom, depth, background, essential nature; **a —** thoroughly

forma form, shape

formar to form

fórmula formula, prescription

fortuna fortune; **por —** fortunately

forzar (ue) to force

fósforo match

fragmento fragment

francamente frankly

francés French; *m.* Frenchman; French (language)

franco frank, sincere

frase *f.* phrase, sentence

frecuencia frequency

frecuentar to frequent, visit, patronize

frecuente(mente) frequent(ly)

frente *m.* front; *f.* forehead, face; **— a** facing; **hacer — a** to face, stand up to

fresco cool, fresh

frío cold

frito fried

frotar to rub

fuego fire; **hacer —** to fire

fuera outside, out; **— de** outside (of), out of

fuera, fueras, *etc. imp. subjve. of* **ser & ir**

fuerte strong, loud

fuerza force; **-s** strength; **a — de** by dint of

fuga flight; **retrocedieron en —** fled in retreat

fui, fuiste, fue, *etc. pret. of* **ser** *&* **ir**

funcionar to function, operate, work

fundar to found

furioso furious

fusil *m.* rifle, gun

fusilar to shoot

futuro future

G

galán (*gallant*) young man, fop

gana (*often pl.*) desire, appetite, craving; **de buena —** willingly, gladly; **de mala —** reluctantly; **tener -s de** to feel like, be eager for

ganancia earnings, profit

ganar to gain, earn, win; **-se** to gain (*earn, win*) for oneself

gastar to waste, to spend (*money*)

gasto expense, expenditure

gato cat

generación generation

general general

género stuff, sort, kind

generoso generous

genio genius, disposition, temper

gente *f.* people

geografía geography

gloria glory

glorioso glorious

gobernar (ie) to govern

gobierno government

golpe *m.* blow

golpear to hit, beat, knock, pound

golpecito tap

gordo fat, big

gota drop

gozar (de) to enjoy (*health, etc.*)

gozo pleasure, joy

gracia gracefulness, wit; **-s** thanks, thank you; **-s a Dios** thank Heaven; **dar (las) -s** to thank, say thank you

gracioso attractive, witty

gramática grammar

gran *used for* **grande** *before nouns*

grande large, great, grand

gratitud gratitude

grato pleasant

grave serious, grave

griego Greek

gritar to shout, cry out

grito cry, scream; **poner el — en el cielo** to howl, make a fuss, shout to high heaven

grosero coarse (*fellow*)

grupo group

guapo good-looking, handsome

guardar(se) to guard, keep, put away, save

guardia *m.* guard, policeman; *f.* **— civil** *see ch. 2, fn. 35*

guerra war

guía *m.* guide; *f.* guidebook

guiar to guide

guisante *m.* pea

gustar to please, be pleasing; **me gusta(n)** I like; **nos gusta(n)** we like; **a Leal le gusta** Leal likes

gusto pleasure, taste; **tener el — de, tener — en** to take pleasure in, be pleased to, care to

H

haber to have (*aux. used to form compound tenses*); **puede —** there can be; **— de** (*+inf.*) to be to; **ha de salir** he is to (will) leave; **habían de salir** they were to (would) leave; **hay** there is, there are; **hay que** (+*inf.*) one must, it is necessary; **había** there was, there were; **había que** (+*inf.*) it was necessary; **habría que** (+*inf.*) it would be necessary; **he aquí** behold, here is

había *see* **haber**

habichuela (verde) (*string*) bean

habitación room

habitante inhabitant

habitar to inhabit, dwell

hablar to speak, talk

habrá there will be, there must be (*impersonal form of* **haber** — *cf.* **hay, había**); *see* **haber**

habría there would be; *see* **haber**

hacer to make, do, to cause, have (*someone do something*); **hace** (**un año, una hora,** *etc.*) (*a year, an hour, etc.*) ago (*if used with past tense*), for (*if used with pres. tense*)

hacia to, toward

haga, hagas, *etc. pres. subjve. of* **hacer**

hallar to find; **-se** to be

hambre *f.* hunger; **tener (mucha, tanta)** — to be (*very, so*) hungry

hasta until, up to, as far as, even; **— que** until

hay there is, there are; **— que** (+*inf.*) one must, it is necessary; **no — que** (+*inf.*) one shouldn't, there is no need to; **¿qué —?** what's the matter? what's the news?

haz (tú) *fam. sg. command of* **hacer** make, do

hazaña deed

he, has, ha, *etc. pres. ind. of* **haber**

he aquí here is, there is, behold

hecho *pp. of* **hacer**; **bien —** well done, all right

helado ice cream

heredar to inherit

heredero heir

herir (ie, i) to wound, to strike; **herido (de)** wounded, struck (*by*)

hermana sister

hermano brother

hermoso beautiful, fine

hermosura beauty

heroico heroic

hice, hiciste, hizo, *etc. pret. of* **hacer**

hija daughter

hijo son, child; **-s** sons, son(s) and daughter(s), children

historia history, story

hoja leaf, sheet (*of paper*)

hola hello

hombre man, man alive!

hombrecillo little man

hombro shoulder; **encogerse de -s** to shrug one's shoulders; **al —** on (across) the shoulder

hondo deep

honor *m.* honor

honra honor, respect

honrado honored, honest, respectable

honrar to honor

hora hour, time (*of day*); **a última —** at the last moment

horno oven

horrible horrible

horror *m.* horror

hotel *m.* hotèl

hoy today

huerta (*vegetable*) garden

hueso bone

huésped *m.* guest; **casa de -es** boarding-house

huevo egg

huí, huíste, huyó, *etc. pret. of* huir
huir to flee, run away (from)
humanidad humanity
humano human
huyendo (by) fleeing
huyo, huyes, huye, *etc. pres. ind. of* huir

I

iba, ibas, iba, *etc. imp. ind. of* ir
ida: de — y vuelta round-trip
idas y venidas comings and goings
idea idea
ideal ideal; *m.* ideal
idealismo idealism
identificar to identify
idilio idyl, romance
idioma *m.* language
ido *pp. of* ir gone
idolatría idolatry, idolization, worship
iglesia church
ignorado: lo — what is unknown, the unknown
ignorar not to know
igual(mente) equal(ly)
iluminar to illuminate, light up
ilusión illusion, fancy
imaginación imagination
imaginar(se) to imagine
imitar to imitate
impaciencia impatience; con — impatiently
impedir (i) to prevent, hinder, keep (*someone*) from
imponer to impose, lay (*penalty, tax, etc.*)
importancia importance
importante important
importar to matter, be important, to import; ¿qué importa? what difference does it make?
imposible impossible

impresión impression
imprudente imprudent
incluso inclusive, including, even
incomodarse to be annoyed, be upset, be angry
inconveniente unsuitable; *m.* objection, unsuitable condition
independiente independent
indio Indian; *m. & f.* Indian
indicar to indicate, point to
indiscreto indiscreet
individuo individual
infalible infallible
infeliz unhappy, unfortunate; *m.* poor devil, simpleton
infiel unfaithful
infinito infinite
influencia influence
influí, influiste, influyó, *etc. pret. of* influir
influir to influence; — para la resolución to influence the decision
inglés English; *m.* Englishman; English (*language*)
inmediatamente immediately
inmediato next, adjoining, close by
inmenso immense, large
inocente innocent
inquietud anxiety
insignificante insignificant
insistir to insist
insolencia insolence
insolente insolent; una — an insolent hussy
inspirar to inspire
instalar to install; -se to settle, establish oneself
instante *m.* instant, moment; al — instantly
instructivo instructive
insultar to insult; -se to insult each other
insulto insult

insuperable insurmountable
intelectual intellectual
inteligencia intelligence
inteligente intelligent
intención intention; **sin —** unintentionally
interés *m.* interest
interesante interesting
interesantísimo extremely interesting
interesar to interest
interior interior
internado, interno *see ch. 5, fn. c*
interrogar to question, interrogate
interrumpir to interrupt
íntimo intimate, familiar
inútil useless
invierno winter
invitado invited; *m.* guest
invitar to invite
ir to go; (*used with participles*) to be; **irse**
    to go away, leave; **vamos, vaya** (*in excl.*)
    come! well now!; ¡**vaya un(a) . . .!** what
    a . . .!
iré, irás, *etc. fut. ind. of* **ir**
irresistible irresistible
isla island
izquierdo left; **la -a** left hand, left side

J

ja, ja, ja *denotes loud laughter*
jamás never, (*not*) . . . ever
jardín *m.* garden
jefe chief, boss, commanding officer
¡**Jesús!** Heavens!
joven young; *m.* young man, youth
Juan Manuel *see headnote p. 1*
juego game
jueves *m.* Thursday
juez judge
jugar (ue) to play, gamble

juicio, judgment, wisdom, prudence
juicioso judicious, wise; **poco —** injudicious,
    indiscreet, thoughtless
julio July
juntar to join, bring (get) together; **-se** to
    be brought together, be joined, be
    assembled
junto joined; **-s** together, close together;
    — a close to, next to
jurar to swear
justicia justice
justiciero just, justice-dealing
justo just, exact, right
juvenil youthful
juventud youth
juzgar to judge

L

la *f. def. art.* the; *dir. obj. f. sg.* her; you
    (*formal*); *dem. pron.* **la de (las de)** that of
    (those of); **la que (las que)** she who, the
    one that (those who, those which)
labio lip
labrador farmer
labrar to work (*in the fields*), cultivate
lado side; **a (mi, su,** *etc.*) **—** beside, next to
    (*me, you, etc.*); **a otro —** anywhere else;
    al — de beside, next to
ladrón thief, robber
lágrima tear
lamentar to regret
lamer to lick
lanzar to throw, to let loose, utter; **-se** to
    rush
lápiz *m.* pencil
largo long
lástima pity; ¡**qué —!** what a pity!
latín *m.* Latin
lavar to wash

le *dir. obj. m. sg.* him, you (*formal*); *dative m. & f.* to him, to her; to you (*formal*)

lea, leas, *etc. pres. subjve. of* **leer**

leal loyal; **Leal** *pr. n.*

lección lesson

lectura reading

leche *f.* milk

leer to read

legua league

lejano distant

lejos far, far off

lengua tongue, language

lenguaje *m.* language, vernacular tongue

lentamente slowly

les *dative pl.* to them; to you (*formal*)

letra letter (*of the alphabet*); handwriting; **-s** letters (*literature*)

letrero sign

levantar to lift, raise; **-se** to rise, get up

leve slight, light

ley *f.* law

leyendo *pres. part. of* **leer**

libertad liberty, freedom

librar to free; **-se** to free oneself, get rid

libre free

libro book; **— talonario** stub-book, receipt-book

ligero light(ly), swift(ly)

Lima *Peruvian capital of historic fame and importance, founded by Francisco Pizarro in 1535*

limpiar to clean

limpio clean

lindo pretty

línea line

lista list; **— (de los platos)** menu

listo ready

literario literary

lo *see* **el**

loco mad, crazy, wild; **un —, una -a** a hare-brained person, an unbalanced person, a lunatic; **—, -a (de alegría)** wild, delirious (*with joy*)

locura madness, folly

lógica logic

lograr to obtain, achieve, to succeed in, manage to

loro parrot

los *def. art. m. pl.* the; *dir. obj.* them; you (*formal*)

lucha struggle, fight

luchar to fight, struggle

luego presently, soon, then; **desde —** at once, of course

lugar *m.* place, town

lujo luxury

luna moon; **— de miel** honeymoon

lunes Monday

luz *f.* light; *pl.* **luces**

Ll

llamar to call, to knock; **-se** to be named; **me llamo (te llamas, se llama,** *etc.***)** my (*your, his,* etc.) name is

llave *f.* key

llegada arrival

llegar (a) to arrive (in), reach; **— a** + *inf.* to get (*to the point of*)

llegase, llegases, *etc. imp. subjve. of* **llegar**

llenar to fill; **— de** to fill with; **-se de** to be(come) filled with

lleno full

llevar to carry, take, to have, wear; **llevo (una hora) esperando** I have been waiting (*for an hour*)

lleve, lleves, *etc. pres. subjve. of* **llevar**

llorar to weep, cry; **echarse a —** to start to weep, burst out weeping

M

madera wood

madre mother

Madrid *capital of Spain*

madrina godmother

madrugada dawn; **(a las 3) de la —** (3 o'clock) in the morning

maestro teacher, master

magnesia magnesia

magnífico magnificent, splendid

majestad majesty

mal *used for* **malo** *before m. nouns; adv.* badly, poorly, ill

maleta suitcase

malicia malice, mischievous intent; **con —** mischievously

malo bad, wicked

mamá mother

mampara screen

mancha stain

manchar to stain

mandar to order, command, "boss"; to send; **— +** *inf.* to have (*something done*)

manera way, manner; **de una —** in a way; **de — que** so that, so then; **¿de qué —?** in what way? how?

manerica *dim. of* **manera; buena — de** a fine way to (*ironical*)

manga sleeve

manifestar (ie) to manifest, show

mano *f.* hand

manta blanket

mantener to maintain, keep

mantilla *see ch. 9, fn. 35*

mantuve, -iste, -o, *etc. pret. of* **mantener**

mañana tomorrow; *f.* morning; **por la —** in the morning; **hasta —** good-by, see you tomorrow

mañanita *dim. of* **mañana** lovely morning

mar *m. or f.* sea

maravilla marvel, wonder

maravillosamente wonderfully

maravilloso wonderful, marvelous

marcha march; **¡en —!** let's go!; **ponerse en —** to start moving

marchar to march, walk, go; **-se** to go away, leave, march away

marido husband

marzo March

mas but

más more, most; **no (...) — que** only; **de —** (*also* **demás**) unnecessary, superfluous

matacadetes cadet killer

matachicas girl killer

matar to kill

matrimonio marriage, married couple

mayo May

mayor greater, greatest; older, oldest; larger, largest; *m.* major

me me, to me, for me, (*for*) myself

mechoncito little lock of hair

media stocking

medianero having a common wall

mediano medium, middle one

medicamento medicine

médico doctor, physician

medio half; **a medias** *see ch. 6, fn. 59*; **las (dos) y media** half past (two); *m.* middle, way (means); **por el —** in the middle; **por —** between (*us*)

mediodía noon, south; **al —** at noon

meditación meditation

meditado meditated; **poco —** imprudent, rash

meditar to meditate, reflect

medroso fearful; **entre -a y sonriente** half fearful, half smiling

mejilla cheek

mejor better, best

melancólicamente melancholically

memoria memory

menor lesser, least; smaller, smallest; younger, youngest

menos less, least, except; **al —, lo —, a lo —** at least; **a — que** unless (+ *subjve.*); **de —** missing; **echar de —** to miss, long for

mente *f.* mind

mentir (ie, i) to lie

mentira lie; **¡—!** it's a lie! you can't fool me!; **parece —** it seems impossible, it's hard to believe

menudo minute, small; **a —** often

mercado market

mercancía merchandise

merecer to deserve

mérito merit

mes *m.* month

mesa table

meter to place (*inside*); **-se en** to get into, stick oneself into, meddle, intervene

mezcla mixture

mezclar to mix

mi, mis my

mí me, myself

miedo fear; **tener — (a)** to be afraid (of)

miel *f.* honey

miento, mientes, *etc. pres. ind. of* **mentir**

mientras (que) while

miércoles *m.* Wednesday

milagro miracle

mil one thousand

militar military; *m.* soldier

millón *m.* million

millonario millionaire

ministro (*cabinet*) minister; **primer —** prime minister

minuto minute

mío mine, of mine; **el —** mine

mirada glance, look

mirar to look, look at; to take warning, consider; **-se** to look at each other

misa mass

misión mission

mismo same, very, self; **él —** he himself; **lo — da** it amounts to the same thing, that will do; **es lo —** it amounts to the same thing, that's all right, never mind; **ahora —** right now, this very moment; **lo — (que)** the same (as), the same thing (as)

misterio mystery

mitad half

moda fashion, style; **pasado de —** out of style; **última —** latest fashion

moderno modern

modesto modest

modificar to modify

modo way, manner; **de ese —** in that way, like that; **de ningún —** by no means, not at all

molestar to molest, annoy, bother

molesto irritating

momento moment

monstruo monster

montaña mountain

montar to mount, get up on

monte *m.* woodland, forest

montonero *see ch. 18, fn. b*

moral moral

morder (ue) to bite

moreno dark, brown; *f.* brunette

morir(se) (ue, u) to die

moro Moorish; *m.* Moor

mortal mortal

mostrar (ue) to show

motivo cause, reason

mover(se) (ue) to move

movimiento movement

mozo boy, young fellow, servant (*waiter, cab driver, etc.*)

muchacha girl

muchacho boy

muchísimo very much; -s very many, many

mucho much, very much, a good deal, very, long (*time*); -s many

mudanza change of residence

mudar to change, remove; -se to change one's clothing, to move (*to another residence*)

mueble *m.* piece of furniture; -s furniture

muelle *m.* wharf

muerdo, muerdes, *etc. pres. ind. of* morder

muerte *f.* death

muerto dead; *m.* dead (*person*)

muevo, mueves, *etc. pres. ind. of* mover

mujer woman, wife

mula mule

multitud multitude

mundo world; todo el — everybody

Mundofeo *pr. n.* (*but note* mundo, feo)

muñeco puppet, dummy

muriendo *pres. part. of* morir

murmurar to murmur, mutter

música music

muy very

N

nacer to be born

nación nation

nada nothing, (*not*) . . . anything; not at all; — más (que) nothing more than, only; — de (bromas) never mind (the jokes)

nadie nobody, no one; (not) . . . anyone

naranja orange

natural(mente) natural(ly)

naturaleza nature

necesario necessary

necesidad necessity, need

necesitar to need, be in need (of)

negar (ie) to deny; -se a to refuse

negociar to trade, negotiate

negocio business

negro black

nervio nerve

ni nor, neither, (*not*) . . . either, not even

nido nest

nieta granddaughter

ningún *used for* ninguno *before m. nouns*

ninguno no, (*not*) . . . any; *pron.* not any, none, no one

niña little girl, child

niño child

no no, not

noble noble; *m.* nobleman

noche *f.* night; esta — tonight; por la — at night, during the night; de — at night; buenas -s good night, good evening

nombrar to name, appoint, to mention

nombre *m.* name; en — de in the name of; poner un — to give a name

nos us, to us, ourselves, each other

nosotros we, us, ourselves

nota note, mark, grade, check (*bill at restaurant*)

notable remarkable, notable

notar to notice, note

noticia piece of news

novela novel

noveno ninth

noventa ninety

novia sweetheart, fiancée, girl (*friend*)

novio fiancé, boy (*friend*); -s sweethearts, engaged (*betrothed*); viaje de -s honeymoon trip

novicia novice, nun (*who has not yet taken the vows*)

nube *f.* cloud

nuestro our, ours; **el —** ours

Nueva York New York

nueve nine

nuevo new

número number

nunca never, (*not*) . . . ever

O

o or; **o . . . o** either . . . or

obedecer to obey

objeto object

obligación obligation

obligar to oblige, force

obra work, deed; **— maestra** masterpiece

obrar to act, work

obrita *dim. of* **obra**

obscuro dark

observar to observe

obtener to obtain, get

ocasión occasion, opportunity

octavo eighth

octubre *m.* October

ocultar to hide, conceal

ocupado busy, occupied; **-dísimo** terrifically busy

ocupar to occupy, hold

ocurrir to occur, happen

ochenta eighty

odiar to hate

odio hate, hatred

ofender to offend; **-se** to take offence

oficial official; *m.* official, officer

oficina office

oficio trade, occupation; **de —** official

ofrecer to offer

oí, oíste, oyó, *etc. pret. ind. of* **oír**

oído *pp. of* **oír**; *m.* hearing, ear

oigo, oyes, oye, *etc. pres. ind. of* **oír**

oír to hear; **se oye** is heard, one can hear

ojalá I hope that, would that; **¡—!** I wish (he) could!

ojo eye

olvidar to forget; **se te había olvidado** you had forgotten; **se nos ha olvidado** we have forgotten

olvido oblivion, forgetfulness

once eleven

opinión opinion

oponer to oppose; **-se (a)** to be opposed (to), object (to)

oposición opposition

oración prayer, sentence

orador orator

orden *f.* order (*command*); *m.* order (*arrangement*)

ordinario ordinary, coarse

origen *m.* origin

orilla bank, shore

oro gold

ortografía spelling

os *fam. pl.* you, to you, yourselves

osa she-bear; **Osa Mayor** Ursa Major (Big Dipper)

otoño autumn

otro other, another; **-s tantos** as many, an equal number of

oye *3rd pers. sg. pres. ind. of* **oír**; *fam. sg. command* hear, listen to

oyendo *pres. part. of* **oír**

P

paciencia patience

Pacífico Pacific (*ocean*)

Paco Frank

padre father; **-s** parents

pagar to pay, pay for
página page
pago payment
país *m.* country
paja straw
pajarillo *dim. of* **pájaro**
pájaro bird
palabra word
palacio palace
pálido pale
palmada tap, slap, pat
palmadita (*dim. of* **palmada**) affectionate pat
palmeta ruler (*used in disciplining children*)
palmetazo *blow with the* **palmeta**
pan *m.* bread
pánico panic
pañuelo handkerchief
papá father
papel *m.* paper
par *m.* pair, couple
para for, to, in order to, toward; **— que** in order that, so that; **¿— qué (. . .)?** what (. . .) for?
parada stop
paraguas *m.* umbrella(s)
paralelo parallel
parar to stop, to stay; **-se** to stop
parecer to seem, appear, to seem best, to look like; **no parece sino** one would think; **me (le,** *etc.*) **parece** I (you, *etc.*) think; **-se a** to resemble, look like
pared wall
pareja pair, couple; *see ch. 2, fn. 35*
pariente relative
paro suspension of work
parrilla: a la — broiled
parte *f.* part; **la mayor —** the majority, most; **a todas -s** everywhere (*motion to*); **en todas -s** everywhere

partir to divide, split, to depart, set out
pasado past, last, previous
pasajero passenger
pasar to pass, pass by, to go in, come in, to happen; **¿qué (te) pasa?** what's happening (*to you*)? what's the matter (*with you*)?; **—, -se** to spend (*time*)
pasatiempo pastime, amusement
pasear to walk, take a walk; **-se (por)** to walk, pace up and down
paseo walk
pasión passion
paso step, pace, passage; **dar (un) —** to take (a) step; **a pocos -s** a few steps away
pata foot & leg (*of animals*); leg (*of piece of furniture*)
paterno paternal
patria fatherland
pausa pause
paz *f.* peace; **en —** there's an end to it
pecado sin
pecar to sin
pecho breast, chest; *fig.* heart, courage; **abrir el —** to pour out one's heart (*to someone*)
pedazo piece
pedir (i) to ask, ask for
pegar to stick, paste, to beat, strike; **-se** to beat each other
película film
peligro danger
peligroso dangerous
pelo hair
pena pain, grief, trouble; **valer la —** to be worth while, be worth the trouble
pendiente hanging; *m.* earring
penetrar (en) to penetrate, enter
pensamiento thought

pensar (ie) to think, think over; — (+ *inf.*) to intend; — **en** to think of (about)

peor worse, worst

pepita seed

pequeño small, little

percibir to perceive, hear

perder (ie) to lose, to fail (*a course*); **echar a —** to ruin; **-se** to be lost, get lost, lose one's way

perdición perdition

pérdida loss

perdonar to excuse, forgive; **perdone Vd., Vd. perdone** pardon me, excuse me

perfección perfection

perfectamente perfectly

perfecto perfect

periódico newspaper

permanecer to remain

permiso permission; **con su —** excuse me (us)

permitir to permit, allow

pero but

perpetuo perpetual

perro dog

persona person

personaje personage, (*important*) person, character (*in plays*)

personal(mente) personal(ly)

pertenecer to belong, to concern

pesado heavy; *fig.* dull, deep (*sleep*)

pesar to weigh; *fig.* to grieve; *m.* grief; **a — de** in spite of

pescado fish

pescar to fish, to fish for, catch

peseta *Spanish coin once worth about twenty cents; at the present rate of exchange, about two cents*

peso weight; peso (*monetary unit in most Spanish-American countries, varying in value in the different countries where it is current*)

pez *m.* fish

picar to prick, sting

picarillo (*dim. of* **pícaro**) little rogue

pícaro (*root of the English word "picaresque"*) rogue; **pícara de la criada** roguish maid

pico beak (*of a bird*), peak

pido, pides, *etc. pres. ind. of* **pedir**

pie *m.* foot; **a los -s (de la cama)** at the foot (*of the bed*)

piedad piety, compassion; **sin —** mercilessly, cruelly

piedra stone

pienso, piensas, *etc. pres. ind. of* **pensar**

pierna leg

pintar to paint; *fig.* to picture, describe

pintoresco picturesque

Pinturerita *see ch. 12, fn. g*

pisar to step on

piso floor, story

pito whistle

placer *m.* pleasure

plata silver

plato dish, plate

plaza (*public*) square

plazuela little square

pluma feather, pen

población population, town

pobre poor; **el —** the poor boy (*fellow*); **las -s** the poor girls

poco little; **a —** presently, shortly; **-s** few; *m.* little bit

poder (ue) to be able, can, could, may, might; **no — menos de** cannot help; **puede que** it is possible (*that*), perhaps

poderoso powerful, wealthy

poesía poetry

poeta poet
Polar polar
policía police; *m.* policeman
política politics, political situation
polvo dust
pollo chicken
poner to put, put down, place, set, set down, to give (*a name*); **-se** to put on (*clothing*); **-se+***adj.* to become; **-se a** +*inf.* to start to
por for, by, over, as, because of, through, along, for the sake of, in behalf of
porque because, for
por qué why
portero gatekeeper
poseer to possess, own, to master
posible possible
posterior subsequent, more to the rear
práctico practical
preámbulo preamble
precio price
preciosidad preciousness; **es una verdadera —** it's really superb, it's really "terrific"
precioso precious, wonderful, delightful
precisamente precisely
preciso precise, exact, necessary; **lo —** what is necessary, just enough
predicar to preach
Prefecto (*Boys'*) Dean
preferencia preference; **dar la —** to prefer
preferir (ie, i) to prefer
pregonar to hawk
pregunta question; **hacer una —** to ask a question
preguntar to ask (*a question*)
premiar to reward
premio reward, award, prize
prenda (de vestir) garment
preocupar to concern, worry

preparar to prepare
presencia presence
presenciar to witness, attend
presentar to present, introduce (*socially*); **-se** to appear, come in
presente present; **los -s** those present
presentir (ie, i) to have a presentiment of, foresee
preso imprisoned, under arrest; **llevar —** to arrest
prestar to lend, loan; **— atención** to pay attention
pretender to aspire to, to intend
pretexto pretext
primavera spring
primer *used for* **primero** *before m. nouns*
primero first; **lo —** the first thing
primo cousin
principal principal, main
príncipe prince
principiar to begin
principio beginning, principle; **en un —** at first
prisa hurry, speed; **(tan) de —** in (*such*) a hurry
prisión prison, imprisonment
prisionero prisoner
probar (ue) to prove, to test, try, to taste
proceder to proceed, to conduct oneself
procedimiento procedure, method
procurar to try, endeavor
producir to produce
produje, -jiste, -jo, *etc. pret. of* **producir**
profesar to profess, take the vows
profundo profound, deep; **(todo) lo —** the (*full*) depth
programa *m.* program
prometer to promise
pronto prompt; *adv.* soon; **de —** suddenly

pronunciar to pronounce

propina tip

propio proper, own

proponer (*conj. like* **poner**) to propose

propósito purpose, intention; **a —** by the way; suitable; **a — de** speaking of, apropos of

protesta protest

protestar to protest

proverbial proverbial

provincia province

provocar to provoke, excite

próximo next, near(est), adjacent

proyecto project, plan

prudente prudent; **poco —** imprudent

prueba proof, test

público public; *m.* public, audience

pucheritos: hacer — to pout

puchero *see ch. 3, fn. d*

pude, pudiste, *etc. pret. of* **poder**

pueblo village, small town, people

puerta door

pues well, (*well*) then; (*causal*) since, for; **— bien** well then

puesto *pp. of* **poner**; *m.* position; (*vegetable, etc.*) stand; **— que** since (*causal*), inasmuch as

punto point, moment; **a — de** at the point of, about to

puro pure, sheer; *m.* cigar

puse, pusiste, *etc. pret. of* **poner**

Q

que than, as; (*causal*) for, since; *rel. pron.* who, that, which; *see* **el**

qué what? which? what a . . .!; how; **por —** why?; **¿y —?** what of it? so what?; **¿para — (. . .)?** what for? what . . . for?

quedar to remain, be left; (*with participles*) to be; **-se** to remain, stay; **me queda(n), te queda(n),** *etc.* I (*you, etc.*) have . . . left

queja complaint

quejarse to complain

querella quarrel, complaint (*in lawsuit*)

querer to want, wish, to love, care for (*a person*); to be willing; **quise (quisiste,** *etc.*) I (*you, etc.*) tried; **no quise (quisiste,** *etc.*) I (*you, etc.*) refused; **-se** to love each other

querido dear, beloved

queso cheese

quien(es) who, whom; he *or* one who (*those who*)

quién(es) who? whom?

quiero, quieres, *etc. pres. ind. of* **querer**

quieto quiet, motionless; **estése Vd. —** restrain yourself, behave yourself

Quijote: Don — (de la Mancha) *hero of Cervantes's world-famous novel who, as knight-errant seeking to right wrongs and help the weak, has become a symbol of futile idealism. Cf. "quixotic" in English dictionary;* **el —** *familiar reference to the novel or the hero.*

quince fifteen

quinientos five hundred

quinto fifth

quise, quisiste, *etc. pret. of* **querer**

quisiera, -as, *etc.* (*imp. subjve. of* **querer**) I (*you, etc.*) should (*would*) like

quitar to take away, take off, remove

quizá, quizás perhaps

R

rabia rage, fury; **dar —** to enrage, make furious, exasperate

rabiar to rage; **— por** to desire eagerly, be "crazy" to

Ramón Raymond
rápido quick, rapid, quickly
raro strange, curious, rare
rato (*short*) time, moment, while; **mal —** unpleasantness
rayo ray, (*stroke of*) lightning, flash
raza race
razón *f.* reason; **tener —** to be right; **razones** arguments
reaccionar to react
real real, royal; **lo —** what is real, reality
realidad reality; **en —** really, actually
realizar to carry out, fulfill, realize
reanimar to reanimate, revive; **habiéndolos -ado** having put new spirit in them; **-se** to revive
recaudador tax collector
recibir to receive, take
recibo receipt
recién *used only before pp.*: **— casado** recently married, newly-wed
reciente recent
recoger to pick up, gather, collect
recomendar (ie) to recommend
reconocer to recognize
recordar (ue) to remember, to remind
recorrer to run through, survey
Rector rector, curate
recuerdo recollection, memory, souvenir
referir (ie, i) to relate, tell; **-se a** to refer to
reforma reform, alteration, improvement
regalar to give (*as a gift*)
regalo gift
regimiento regiment
región region
registrar to search, examine
regresar to return
regreso return; **de —** back, on the way back
reina queen

reinar to reign
reino kingdom
reír, -se to laugh; **echarse a —** to start laughing, burst out laughing
relación account, story, relation; **-ones** relations, dealings
religioso religious
reloj *m.* watch, clock
remediar to remedy, help
remedio remedy, medicine; **no hay (más) —, ¿qué —?** it can't be helped, there's no (*other*) way out of it
rencor *m.* rancor; **guardar —** to hold a grudge against
rendir (i) to render, pay, to overcome, subject; **-se** to surrender
reñir (i) to quarrel, scold
reparar to repair, make up for; **-se (en)** to notice, observe, pay attention to
reparo repair, observation, objection
repasar to review
repaso (de examen) review (*for examination*)
repente: de — suddenly
repetir (i) to repeat
repito, repites, *etc. pres. ind. of* **repetir**
replicar to reply, argue
representación (*theatrical*) performance
representar to represent, to perform (*a play*)
resistir to resist, hold out (against)
resolución resolution; **tomar una —** to make a decision, make up one's mind
resolver (ue), -se a to decide, make up one's mind to
resonar (ue) to resound
respecto: (con) — a regarding
respetar to respect
respeto respect
respirar to breathe
responder to reply

responsable responsible

respuesta answer, reply

restaurant *m.* restaurant

resto rest, remainder

resuelva, resuelvas, *etc. pres. subjve. of* resolver

resultado result

resultar to result, turn out, prove to be

retirar to retire, withdraw, take back, pull away

retratar to portray

retrato portrait, photograph

reunir to gather, bring together, assemble; -se con to join

revelar to reveal

revés: al — the opposite

revisor (*ticket*) inspector, conductor

revólver *m.* revolver

rey king

rezar to pray; rezaremos los tres the three of us will pray

rezo prayer

rico rich; fine; *m. & f.* darling, sweetheart

riguroso severe, strict

riña quarrel

río river

río: (me) —, (te) ríes, (se) ríe, *etc. pres. ind. of* reír(se)

riqueza riches, wealth

risa laughter

róbalo haddock

robar to steal, rob

rodear to surround

rodilla knee; ponerse de -s to kneel

rogar (ue) to ask, beg

rojo red

romper to break, tear

ropa clothes

rosa rose

rostro face

roto *pp. of* romper broken, torn

rubio blond, fair (*complexioned*); rubia blonde, golden-haired

ruego request, prayer

ruido noise; con gran — very noisily

S

sábado Saturday

saber to know, to find out, learn; to know how, can; — a to taste of

sabiduría wisdom

sabio wise, learned

sabré, sabrás, *etc. fut. ind. of* saber

sacar to take out, draw out, get (*by pulling out*)

saco sack, bag

sala (*large*) room, living-room

salga, salgas, *etc. pres. subjve. of* salir

salida exit, departure

salir to go out, come out, leave; -se to come out, go out

saltar to jump, jump over, leap

salto jump

salud health

saludar to greet, to salute

saludo greeting, salute

salvar to save

San *used for* santo *before names of male saints*

sangre *f.* blood

sano healthy, sound

santo saintly; *m. & f.* saint

sarampión *m.* measles

sargento sergeant

satisfacción satisfaction

satisfacer to satisfy

satisfecho (de) satisfied (*with*)

se himself, to himself, for himself, etc.; herself, to herself, etc.; yourself, etc.; itself, etc.; yourself, etc.; yourselves, etc.; (to, for) each other

se = **le** *or* **les**

sé *fam. sg. command* be

sé, sabes, *etc. pres. ind. of* **saber; ya sé** I know very well

sea, seas, *etc. pres. subjve. of* **ser**

secamente drily, dully, curtly

secar to dry, to wipe off (*perspiration*)

seco dry, curt

secretario secretary

secreto secret

sed thirst

seguida: en — at once, immediately

seguido: todo — straight ahead

seguir (i) to follow, to go on, keep on, continue; **seguido de** followed by

según according to, as

segundo second; *m.* second

seguramente surely, certainly

seguridad safety, certainty; **con —** absolutely, with absolute certainty

seguro sure, certain; safe

seis six

sello stamp

semana week

semejante similar, like, such a

sencillo simple

sentado seated, sitting

sentar (ie) to seat; **-se** to sit down

sentido feeling, sense

sentir (ie, i) to feel, to be sorry, regret, feel distressed; **-se** (+*adj.*) to feel

seña sign; **por -s** in sign language

señal *f.* signal, sign

señalar to point out, point to, set (*a date, etc.*)

señor gentleman, Mr., sir; **-es** gentlemen, madam and sir, Mr. and Mrs.

señora lady, wife, madam, Mrs.

señorita young lady, Miss

señorito young gentleman, master

separar to separate, divide, move apart; **-se** to be separated, part

séptimo seventh

sepulcro sepulcher, grave

ser to be; **— de** to belong to; **es que** (*often omitted in translation*) the fact (*point*) is that, but, it's because; **¿es que ...?** is it because ...?

serenidad serenity; **con —** calmly

sereno serene, clear, unclouded; *m.* night-dew, night watchman

seriamente seriously

serio serious; **en —** seriously

serví, serviste, sirvió, *etc. pret. of* **servir**

servicio service

servidor servant; **— de Vd.** *see ch. 8, fn. 38*

servir (i) to serve, be of service

sesenta sixty

severo severe

sexo sex

sexto sixth

si if, whether; (*in excl.*) why, but; **por si (por si acaso)** in case, just in case

sí yes; *often used to make the verb more emphatic:* **sí que es Vd.** you certainly are; himself, herself, etc.; each other

sido *pp. of* **ser; había —** I (*he, she, you, it*) had been

siempre always, ever; **para —** forever

siete seven

siglo century

significante significant

significar to mean

sigo, sigues, *etc. pres. ind. of* **seguir**

siguiente following, next

silencio silence

silla chair

sillón *m.* large chair, easy chair

símbolo symbol

simpatía sympathy, fondness

simpático nice, pleasing, attractive

simple simple, simple-minded

sin without; — que (+*subjve.*) without

sino *used only after negatives* but (=*but rather*); except

siquiera even, at last; ni —, ni . . . — not (. . .) even

sirviendo *pres. part. of* servir

sirvo, sirves, *etc. pres. ind. of* servir

sistema *m.* system

sitio place, spot

situación situation

sobrar to be more than enough, be left over

sobre on, upon, over, above, about (*concerning*)

sobrina niece

sobrino nephew

social social

sociedad society

sol *m.* sun

solas: a — alone; by myself (*yourself, etc.*)

soldado soldier

soler (ue) to be accustomed (to), be wont to, do (*something*) generally: suelo llegar tarde I generally arrive late

solo alone, only, single; sólo *adv.* only

soltar (ue) to loosen, let go of

soltero single (*unmarried*)

solterona old maid

solución solution

sombra shade, shadow; a la — in the shade of

sombrero hat

son *m.* sound, sounding, tone

sonar (ue) (*intransitive*) to sound, ring

sonreír to smile

sonriendo smiling

sonriente smiling

sonrisa smile

soñar (ue) (con) to dream (about)

sopa soup

sordo deaf

sorprender to surprise

sorpresa surprise

sospecha suspicion

sospechar to suspect

sostener to hold, support, keep up, maintain, carry on

soy, eres, es, *etc. pres. ind. of* ser

su, sus his, her, its, your (*formal*), their

suave soft

subalterno subaltern, subordinate

subir to go up, come up, rise, climb; to get into (*a vehicle*)

substancia substance, importance

suceder to happen, turn out

suceso event, happening

sucesor successor

sucio dirty

sudor *m.* sweat, perspiration

suegra mother-in-law

suela sole

suelo floor, ground

suena *from* sonar

sueño sleep, dream; tener — to be sleepy

suerte *f.* luck, fate, lot, sort (*kind*)

suficiente sufficient, enough

sufrir to suffer, to endure, bear

sujeto subject, liable; *m.* fellow, topic

suma sum, total

sumar to add

superior superior

supiera, -ras *imp. subjve. of* saber

suplicar to beg

suponer to suppose, assume

supongo, supones, *etc. pres. ind. of* **suponer**

supremo supreme

supuesto *pp. of* **suponer; por —** of course

supuse, -iste, *etc. pret. of* **suponer**

suspirar to sigh

suspiro sigh

sutil subtle; **lo —** the subtlety

suyo his, of his, her, of hers, its, (*formal*) your, of yours, their, of theirs; **el —** his, hers, yours (*formal*), theirs

T

taberna tavern, wine shop

tablado stage

tacto tact

Tadeo Thaddeus

tal such, such a; **con — que** provided

taladrar to punch

talento talent

talonario: libro — stub-book, receipt book

tallo stem, stalk

tamaño size

también also, too

tampoco neither, (not) ... either, (nor) ... either; **ni ... —** nor ... either

tan so, as, such a; *for emphasis before adj. or adv.* very (*or leave untranslated*); **tan ... como** as ... as

tanto so much, as much; **-s** so many, as many; **por lo —** therefore; **otros -s** as many, an equal number of

tapa cover, top

tardar to be late, be slow, delay; **— en** to be long in; **cuánto tardan** how slow they are, how long it takes them

tarde late; *f.* afternoon; **de la —** in the afternoon; **buenas -s** good afternoon

tarjeta card; **— de visita** visiting card

taza cup

te *fam. sg.* you, to you

té *m.* tea

teatro theater

techo roof, ceiling

telegrafiar to telegraph

telón *m.* curtain (*of theater*); **al levantarse el —** as the curtain rises; **— de boca** drop curtain

temblar (ie) to tremble

temer to fear

temor *m.* fear; **sin — a nadie** without fear of anyone

templar to temper, moderate

temprano early

tender (ie) to stretch out, hold out, extend

tener to have, to keep; **— que** to have to; **— por** to consider; **— la culpa (de)** to be to blame (for)

teñir (i) to dye

tercer *used for* **tercero** *before m. sg. nouns*

tercero third; **al (día,** *etc.*) **—** on the third (*day, etc.*)

terminar to end, finish

término end, term, word, boundary

ternera veal

terrible terrible

tesorero treasurer

tesoro treasure

texto text

ti (*fam. sg.*) you (*after prep.*)

tiempo time; **en otro —** in the past, formerly; **a — que** at the time that, as when

tierno tender, soft, delicate, young

tierra earth, land, region

timbre *m.* bell; **— de alarma** alarm bell

tiño, tiñes, tiñe, *etc. pres. ind. of* **teñir**

tío uncle; *often used as title for an old man;* **-s** uncle(s) and aunt(s)

tirar to throw, to pull, to shoot; **— de** to pull

tiro shot

título title

tocar to touch, to play (*musical instrument*), to ring (*bell*); **-le a uno** to be one's turn, fall to one's lot, be one's business

todavía still, yet; **— no** not yet

todo all, every; *neut. pron.* everything; **sobre —** especially; **-s** all, everybody; **-os los (-as las)** every

toga Roman toga, robe, gown

Toledo *historically famous city in central Spain* (*not far from the national capital, Madrid*)

tomar to take; (*with food or drink*) to have, eat *or* drink; **¡toma!** well! why!; **tome Vd.** here (*upon giving a tip, etc.*)

tono tone; **de buen —** fashionable

tontería(s) foolishness, nonsense

tonto foolish; *m.* fool, goose

tormento torment, torture

torno turn, revolution; **en —** around, about

toro bull

trabajar to work

trabajo work

traer to bring, carry, to have; **-se** to bring along

trago swallow; **echar un —** to take a sip

traicionar to betray

traiga, traigas, *etc. pres. subjve. of* **traer**

traigo, traes, trae, *etc. pres. ind. of* **traer**

traje *m.* suit, clothes

tranquilidad tranquillity

tranquilícense Vds. calm yourselves

tranquilamente calmly, quietly

tranquilo calm, quiet; **esté Vd. —** do not worry

tras, — de behind, after

tratar to treat, deal; **— de** to deal with; **— de +** *inf.* to try to; **se trata (trataba)** it is (*was*) a question of, . . . is (*was*) involved

trato treatment; friendly intercourse; (*business*) deal; **— hecho** closed deal, settled business, sure thing

trayendo *pres. part. of* **traer**

trece thirteen

treinta thirty

tren *m.* train

tres three; **las —** (**de la tarde**) three o'clock (*in the afternoon*)

trincado (*colloquial*) caught, trapped

triste sad, gloomy; **-mente** sadly, gloomily

tristeza sadness, sorrow

triunfo triumph

trono throne

tropa troop(s)

trucha trout

tropezar (ie) to stumble; **— con** to stumble over; *fig.* come upon

tropiezo stumble, obstacle, slip

tu, tus your (*fam. sg.*)

tú you (*fam. sg.*)

tuve, tuviste, *etc. pret. of* **tener**

tuyo (*fam. sg.*) yours, of yours; **el —** yours

U

u or (*used before words beginning with* **o** *or* **ho**)

último last (*in a series*), latest

umbral *m.* threshold

un, una a, an, one; **uno** one; **unos** some, a few, a pair of

único only

uniforme uniform; *m.* uniform

unir to unite, join

uno one

untar to smear

usar to use, to wear

uso use

usted *used with 3rd pers. verbs* you (*formal*)

útil useful

V

vaciar to empty

vacío empty space, void

vago vague, indefinite

valer to be worth; **vale más** it is better; **no vale nada** (*he, she, it*) is worthless

valeroso valiant, courageous

valiente brave, valiant, bold

valor *m.* courage, value

valle *m.* valley, vale

vamos let's go; **— a** + *inf.* let's, we are going to; *excl.* well, come now, well now, why

vano vain

varios several

vase = **se va** (*he, she*) leaves, exits

vaso glass

vaya *excl.* well, come now, I declare; **¡— un(a) . . .!** what a . . .!

vaya, vayas, *etc. pres. subjve. of* **ir**

ve (tú) *fam. sg. command of* **ir**

vecina, -o neighbor, citizen

vecinita *dim. of* **vecina**

veinte twenty

veinticinco twenty-five

veinticuatro twenty-four

veintitantos twenty-odd

vejez old age

velar to watch (*over*), veil

velo veil

ven (tú) *fam. sg. command of* **venir**

vencer to conquer, overcome

vendedor seller

vender to sell

vendría, vendrías, *etc. cond. of* **venir**

venga, vengas, *etc. pres. subjve. of* **venir**

venida coming; *see* **idas**

venido: bien — welcome

venir to come

ventaja advantage

ventana window

veo, ves, ve, *etc. pres. ind. of* **ver**

ver to see, look at; **a —** let's see; **por lo visto** apparently; **ya ves, ya ve (Vd.)** you see for yourself (*a stock phrase to be translated with varied meanings according to context*)

veranear to spend the summer

verano summer

veras: de — really, truly, in earnest; **tan de —** very much in earnest

verdad truth; **en —** truly, really; **es —** it is true, that's so; **la —, a decir —** to tell the truth, frankly; **¿(no es) —?** isn't it so? isn't he? don't they? *etc.* (*must be fitted in meaning according to context*)

verdadero true, real

verde green

verdura verdure; **-s** vegetables

vergüenza shame; **me (te,** *etc.*) **da —** I (*you, etc.*) am (*are, etc.*) ashamed

vería, verías, *etc. cond. of* **ver**

verso verse

vestí, vestiste, vistió, *etc. pret. of* **vestir**

vestido *pp. of* **vestir;** *m.* dress, clothes

vestir (i) to dress; **-se** to dress (*oneself*), put on one's clothes

vez time (*in a series*); **otra —** again, another (*some other*) time; **en — de** instead of; **tal —** perhaps; **de — en cuando** from time

to time; **a la —** at the same time; **cada —
que** whenever; **por última —** for the last
time; **a veces** at times, sometimes

vi, viste, vio, *etc. pret. ind. of* **ver**

viajar to travel

viaje *m.* journey, trip; **hacer un —** to take
a trip; **— de novios** honeymoon trip,
wedding trip

viajero passenger

vicio vice, bad habit, fault

víctima victim

vida life, darling

viejo old; *m.* old man; **-a** *f.* old woman

viento wind

viera, vieras, *etc. imp. subjve. of* **ver**

viernes *m.* Friday

vigilancia vigilance, watchfulness

vino wine

violento violent

violín *m.* violin

virgen virgin; **¡Virgen Santa (Santísima)!**
merciful Heaven!

virtud virtue

visión vision, "sight"

visita visit

visitar to visit

vista sight

visto *pp. of* **ver** seen; **por lo —** apparently

viuda widow

vivir to live

vivo alive, lively, vivid, bright

vocabulario vocabulary

volar (ue) to fly; **-ando** flying; *fig.* in a jiffy

volcar to overturn

voluntad will

volver (ue) to return, come back; **— a** (+
inf.) to repeat the action of the inf.; **— en
sí** to regain consciousness

vosotros you (*fam. pl.*)

voy, vas, va, *etc. pres. ind. of* **ir**

voz *f.* voice; **en — alta** in a loud voice;
a — en cuello shouting, screaming

vuelo flight

vuelta return; **dar media —** to make an
about-face; **de ida y —** round-trip

vuestro your, yours (*fam. pl. possessor*)

vulgar common, ordinary

Y

y and

ya already, now, presently, indeed; **ya, ya** all
right, just a moment; **ya lo creo** I should
say so, of course; **ya lo creo que no** I
should say not; **ya no** no longer; **ya que**
since (*causal*), as long as, now that

yerno son-in-law

yo I

Z

zapato shoe